AF221010

Guía oficial de
Montserrat

Publicacions de l'Abadia de Montserrat

Sumario

Visitar Montserrat 4

La montaña 6
Situación y límites 6
La geología 7
El clima 8
La vegetación 10
La fauna 11
El hombre y la montaña 11

Prehistoria de Montserrat 14

Historia de Montserrat 16

Montserrat hoy 20
¿Qué es Montserrat? 20
La Escolanía 21
El monasterio y la comunidad de monjes 22
Una única comunidad 23

Itinerario I
El recinto principal del santuario 24
La plaza del Abat Oliba 25
La plaza de Santa María 26
El atrio de la basílica 29
La basílica 32
Las capillas de la basílica 34
El presbiterio y el coro de los monjes 36
El acceso al camarín de la Virgen 37
La estancia del trono de la Virgen 38
El camarín o capilla de la Virgen 42
El camino del Avemaría 42

Itinerario II
El Museo de Montserrat 44

Itinerario III
Paseos por los alrededores del santuario 48
El Viacrucis 49
La miranda de Fra Garí 50
La capilla de Sant Miquel 52
A Sant Joan por Sant Miquel 53

Itinerario IV

Dos breves paseos 54

La plaza de los Apóstoles 55

El camino de los Degotalls o del
      Magníficat 58

Itinerario V

La Santa Cueva 60

El camino del Rosario
      monumental 61

La Santa Cueva 63

La leyenda del hallazgo de la
      Virgen 63

La capilla de la Santa Cueva 64

Itinerario VI

**Sant Joan y las ermitas de la
      montaña 66**

A Sant Joan con el funicular 68

La capilla de Sant Joan 68

A Sant Joan por la escalera de los
Pobres 71

A Sant Joan por el camino de Sant
Miquel 71

Itinerario VII

**Sant Jeroni, el pico más elevado
      de la montaña 72**

El camino de Sant Joan a Sant Jeroni 73

Rocas relevantes 73

Algunas ermitas 73

La vegetación de la montaña 75

La capilla de Sant Jeroni 77

Caminando hacia el pico de Sant
Jeroni 77

La vista desde el pico de Sant Jeroni 79

Itinerario VIII

**La iglesia románica de Santa
      Cecilia 80**

Paseo hacia Santa Cecilia 81

El monasterio y la iglesia de Santa
Cecilia 82

El arboreto de Santa Cecilia 82

Horarios 84

Servicios e instalaciones 88

Visitar Montserrat

- Visitar Montserrat es
  conocer uno de los símbolos principales de Cataluña.

- Visitar Montserrat es
  subir a una montaña única y admirar su belleza.

- Visitar Montserrat es
  entrar en contacto con la historia del pueblo catalán.

- Visitar Montserrat es
  seguir paso a paso el itinerario de un santuario.

- Visitar Montserrat es
  recibir la acogida de un monasterio benedictino.

Pero esto no es todo ¿Por qué?

* Porque Montserrat
  es mucho más que un conjunto de piedras históricas.

* Montserrat es para muchos creyentes
  un lugar de encuentro con Dios.

* Montserrat es para muchos hombres y mujeres
  un lugar de reconciliación y de fraternidad.

* Visitar Montserrat es, pues,
  mucho más que realizar una visita turística.

* Visitar Montserrat es
  entrar en contacto con un monasterio y un santuario,
  un lugar de oración, de solidaridad y de fiesta.

* Vosotros, que muy probablemente
  visitáis Montserrat por primera vez,
  participad de la belleza y la vida que aquí encontraréis y respetadla.

**Bienvenidos seáis,
y que el Dios de la paz esté con todos vosotros.**

La montaña

Situación y límites

Montserrat es un macizo situado a la derecha del río Llobregat, y entre el Pla de Bages y la depresión Prelitoral. Se encuentra en el centro de la cordillera Prelitoral, de la que es uno de los conjuntos más elevados y abruptos. Su pico más alto es Sant Jeroni, a 1236 m sobre el nivel del mar. El monasterio está situado a 725 m.

Tiene unos diez kilómetros de longitud y unos cinco de anchura, con un perímetro de unos veinticinco kilómetros, pero en conjunto apenas llega a cuarenta y cinco kilómetros cuadrados de superficie.

El conjunto de la montaña parece más alto porque se eleva bruscamen-

te desde el río Llobregat hasta la cumbre. Tampoco hay ninguna montaña próxima que pueda competir en altitud, de manera que queda aislada en aquel sector de la cordillera Prelitoral catalana. La fuerza de este relieve queda bien expresada en el hecho de que en una distancia de solo tres kilómetros hay un desnivel de mil cien metros.

Administrativamente, el macizo forma parte de los municipios de Collbató, en la comarca del Baix Llobregat, El Bruc, en la de l'Anoia, y Marganell y Monistrol de Montserrat, en la del Bages. Montserrat dista de Barcelona unos cuarenta kilómetros.

La geología

Montserrat, que significa «montaña serrada», es de origen sedimentario.

A fines de la era secundaria, lo que actualmente es la base de la montaña era el delta de un río caudaloso que procedía del continente balear y desembocaba en un gran lago, en el centro de la actual Cataluña. En el fondo quedaban depositados los sedimentos. El hundimiento del continente balear dejó seco el lago eocénico; y también el delta quedó al descubierto como una gran masa pastosa de guijarros, arenas y barro, que más tarde se consolidó y formó el conglomerado.

delar en él un relieve brusco, con grandes paredes y bloques redondeados, separados por estrechas y verticales canales que toman extrañas formas que hoy causan nuestra admiración.

Y en sus entrañas, los agentes físicos abrieron cuevas, simas y grutas.

Las rocas de Montserrat son de conglomerado de guijarros y arenas unidos por cimiento calcáreo, lo que hace que esas rocas, a diferencia de las vecinas de la zona, sean muy duras y resistentes a la erosión.

El clima

Montserrat se encuentra en el área de clima mediterráneo húmedo. La topografía tan brusca y accidentada de la montaña propicia que el clima de Montserrat presente fuertes contrastes en espacios reducidos.

Esta ingente masa era muy vulnerable a los agentes externos. A lo largo de muchos milenios, pues, los movimientos tectónicos, los cambios climáticos y la erosión fueron trabajando este macizo de conglomerado elevado —hace unos diez millones de años— hasta mo-

Según los datos de la estación meteorológica del monasterio, situada a 740 m de altura, la precipitación media anual es de 678 l/m^2.

La temperatura media anual se sitúa entre 13 y 14°C. La influencia de
la brisa marina es notable, puesto
que permite la formación de nieblas,
a menudo muy densas, que elevan
mucho el grado de humedad del aire,
beneficioso para la vegetación. Las
nevadas son poco frecuentes, pero

de vez en cuando se produce alguna copiosa.

La montaña de Montserrat es
seca, con pocas fuentes. Sin em-
bargo, posee fisuras por las que, en
tiempos de lluvias abundosas, el
agua se escurre hasta reaparecer en
la base, en contacto con los estratos

de rocas impermeables. Allí da lugar a fuentes temporales, que aquí llamamos «mentideres» (mentirosas), de caudal intenso y corta duración.

La vegetación

La vegetación refleja fielmente la orientación de las vertientes y la profundidad de los suelos.

La vegetación de Montserrat es, en general, mediterránea. El encinar (ass. *Viburno-Quercetum*), con los variados sotobosques formados por arbustos, lianas y pocas hierbas, cubre gran parte de la montaña. Según los botánicos, Montserrat es uno de los mejores encinares

de Cataluña e incluso de Europa meridional. Hay que destacar también otras comunidades vegetales: los robledales (ass. *Quercetum pubescentis*), las tejedas (ass. *Saniculo-Taxetum*), los pinares (*Pinus halepensis / Pinus nigra*) y las plantas que viven en las superficies de las rocas. En Montserrat crecen unas 1250 especies diferentes de plantas.

La fauna

La fauna del macizo de Montserrat es típicamente mediterránea. La diversidad geográfica y la riqueza botánica permiten que exista en él una fauna abundante y diversificada. Indicaremos únicamente las especies más importantes. Entre la fauna ornítica y rupícola se observa el avión roquero (*Ptyonoprogne rupestris*), el vencejo (*Apus melba*) y el arañero (*Tichodroma muraria*), que hiberna. También tienen costumbres rupícolas la garduña (*Martes foina*), varias especies de murciélagos (*Pipistrellus pipistrellus*) y el dragón (*Tarentola mauritanica*).

Entre las aves, sobresalen la paloma torcaz (*Columba palumbus*), el tordo (*Turdus philomelos*) y la curruca mosquitera (*Sylvia borin*). Hay que destacar la supervivencia del águila perdicera (*Aquila fasciata*) entre las aves de rapiña.

Los mamíferos más conocidos son la ardilla (*Sciurus vulgaris*) la jineta (*Genetta genetta*) y el jabalí (*Sus scrofa*). Se han reintroducido cabras salvajes (*Capra pyrenaica*).

Respecto a los anfibios señalemos únicamente la salamandra (*Salamandra salamandra*). Y entre los reptiles citaremos el lución (*Anguis fragilis*) y la víbora ibérica (*Vipera latastei*).

El hombre y la montaña

Desde sus inicios, el excursionismo fijó la atención en la montaña de Montserrat. En 1880 se llegó por primera vez a la cúspide del Montgròs y se abrieron caminos en aquella zona. Y el deporte de la escalada ha ido tomando una importancia cada vez mayor

a partir de las primeras cordadas: en 1922 se llegó a la cumbre de los Ecos y después fueron escalados progresivamente otros peñascos importantes como el Cavall Bernat (1935), o el Cilindre (1936), y también la pared de Sant Jeroni (1948) y la de los Diables (1955). Actualmente no queda ninguna cumbre significativa sin escalar, con los inconvenientes que ello comporta para la flora y la fauna. Hay también algunas simas importantes, como la de la Costadreta (-125 m) y la de los Pouetons de les Agulles (-140 m).

La intensa presión humana que sufre la montaña desde hace décadas y los incendios forestales inciden negativamente tanto en la conservación de la vegetación como en el poblamiento de la fauna.

El 29 de enero de 1987, la Generalidad de Cataluña declaró la montaña de Montserrat parque natural.

Prehistoria de Montserrat

Durante el período prehistórico, en
la montaña de Montserrat había varias cuevas habitadas. Las dos que
han dejado vestigios más importantes son la Cova Gran y la Cova Freda,
en el término de Collbató, al sudeste
de la montaña. Cuando, en 1925, se
publicaron los estudios de las explo-
raciones que allí se realizaron unos
años antes, se hicieron famosas porque en ellas se localizó, por primera
vez en Cataluña, la cerámica del neolítico antiguo, decorada con impre-
siones hechas a menudo con con-
chas, lo que dio origen al nombre de
«cerámica montserratina», llamada
normalmente «cerámica cardial».

Además de la cerámica, se encontraron también instrumentos de sílex —especialmente cuchillos—, punzones de huesos de cabra y restos de animales diversos: cabra, corzo, oveja, perro, caballo... En el término municipal del Bruc se encontraron algunos sepulcros de fosa del Neolítico con el correspondiente ajuar funerario. Todo ello define una fase antigua del Neolítico, que se puede fechar a partir de poco antes del 4000 a. C. y que llegó hasta bien avanzado el tercer milenio. Durante este período las cuevas fueron habitadas. Hay trabajos posteriores, del Neolítico avanzado y de la Edad de Bronce. En la Cova Freda apareció también algún indicio de cerámica ibérica y una sepultura. Todo el material encontrado se conserva en el monasterio, a la espera de poder ser expuesto a los visitantes.

Historia de Montserrat

880 La imagen de la Virgen es encontrada, según la leyenda, en una cueva de la montaña.

888 Primera mención documentada de Montserrat.

Siglo IX Es muy probable que las cuatro capillas existentes a fines del siglo IX —Santa María, San Acisclo, San Pedro y San Martín— fuesen habitadas por ermitaños. Actualmente solo se conserva, en el jardín del monasterio, la de San Acisclo. [1]

945 Documento que testifica la fundación del monasterio de Santa Cecilia en Montserrat.

1025 Oliba, abad de Ripoll y obispo de Vic, funda el monasterio de Montserrat. [2]

Siglos XII y XIII Nueva iglesia románica y talla de la imagen de la Virgen, que se venera en la basílica actual.

1221 Cantigas de Alfonso X el Sabio: inicios de la divulgación de los

milagros de la Virgen y de la venida de numerosos peregrinos.

1223 Institución de la Cofradía de la Virgen de Montserrat.

1223 Primeros testimonios de la presencia de una escolanía de niños cantores, la más antigua de Europa. [3]

Siglo XIV Inicios de la expansión de Montserrat en Europa.

1409 El monasterio se convierte en abadía independiente.

1476 Construcción del claustro gótico. [4]

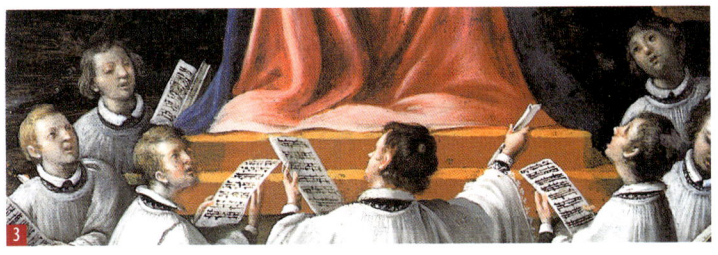

1490 Instalación de la imprenta en Montserrat.

1493 Bernardo Boíl, antiguo ermitaño de Montserrat, acompaña a Cristóbal Colón a América. Una de las islas de las Antillas recibe el nombre de Montserrat. Inicios de la expansión del culto de la Virgen de Montserrat en América.

1522 Ignacio de Loyola peregrina a Montserrat.

1592 Consagración de la iglesia actual.

Siglos XVI y XVIII Actividades culturales diversas en el monasterio.

Siglos XVII y XVIII Apogeo de la escuela musical de Montserrat.

Siglos XVII y XVIII Importantes fundaciones en Bohemia y Austria.

1811-1812 Destrucción de Montserrat por el ejército de Napoleón.

1835 Leyes desamortizadoras. El monasterio pierde todas sus propiedades y queda reducido a un solo monje.

1844 Los monjes vuelven a Montserrat.

1858 Bajo la dirección del abad Miquel Muntadas se inicia la reconstrucción definitiva de Montserrat.

1880 Fiestas del milenario de Montserrat. [5]

1881 Fiestas de la coronación de la imagen de la Virgen, proclamada Patrona de Cataluña.

1901 Inauguración de la nueva fachada de la basílica.

1915 I Congreso Litúrgico de Montserrat.

1931 Fiestas jubilares del IX centenario de la fundación del monasterio.

1936-1939 Guerra civil española. Los monjes deben abandonar el monasterio; durante la revuelta de 1936, veintitrés de ellos son trágicamente asesinados. El Gobierno autónomo de Cataluña salva Montserrat y lo libra del saqueo y de la destrucción.

1939 Al terminar la guerra, los monjes recuperan Montserrat.

1942 Colocación de la primera piedra de la nueva fachada del monasterio.

1947 Fiestas de la Entronización de la Virgen, gracias a las que se inicia el primer movimiento de reconciliación cívica en el país después de la Guerra Civil.

1950 Creación del Patronat de la Muntanya de Montserrat.

1959 Consagración del altar mayor de la basílica, de cara a la asamblea litúrgica, y reforma del presbiterio y del coro de los monjes.

1965 II Congreso Litúrgico de Montserrat. [6]

1968 Queda ultimada la nueva fachada del monasterio.

1970 Encierro de trescientos intelectuales que reclamaban a la dictadura de Franco el respeto de los derechos humanos, con motivo del proceso de Burgos. El monasterio es asediado por la Policía y la Guardia Civil durante dos días.

1976 Inauguración del nuevo complejo de servicios de restauración con gran capacidad para los peregrinos, a la entrada del recinto del santuario.

1980-1981 Celebración del centenario de las fiestas de la coronación de la imagen de la Virgen y de la proclamación como Patrona de Cataluña. [7]

1982 Inauguración del nuevo museo de pintura catalana moderna.

1982 Peregrinación del papa san Juan Pablo II con la Iglesia de Cataluña a Montserrat (7 de noviembre).

1986 El 18 de agosto un gran incendio forestal asola buena parte de la montaña. [8]

1987 El Gobierno de la Generalidad de Cataluña declara la montaña de Montserrat parque natural.

1988 Se inicia el proyecto de restauración de la basílica.

1990 III Congreso Litúrgico de Montserrat.

1991 El 16 de septiembre empiezan las obras de restauración de la basílica.

1992 Celebración del IV centenario de la consagración de la basílica. [9]

1995-1996 Inauguración de la restauración exterior e interior de la basílica.

1997 El 19 de marzo, inauguración de la restauración de la Santa Cueva.

1997 Constitución de la Fundación Abadía de Montserrat 2025.

1997-1998 Celebración del 50 aniversario de las fiestas de la Entronización de la Virgen de Montserrat.

2000 Aguacero del 10 de junio y renovación de algunas estructuras del santuario.

2003 Inauguración del nuevo cremallera (11 de junio). [10]

2006-2007 Celebración del año jubilar del 125 aniversario del patronazgo de la Mare de Déu de Montserrat sobre Cataluña.

2010 Bendición del nuevo órgano de la basílica (20 de marzo). [11]

2013 Beatificación de veintiún monjes mártires de la revolución de 1936 (13 de octubre).

2015 Conmemoración del centenario del Primer Congreso Litúrgico de Montserrat.

2015 Restauración de la iglesia de Santa Cecilia e instalación de la obra de Sean Scully.

2023 Celebración de los 800 años de la Cofradía de la Virgen de Montserrat.

2023 Ampliación del museo bajo las plazas de Puig i Cadafalch.

2025 Milenario del Monasterio.

Montserrat hoy

¿Qué es Montserrat?

Montserrat está formado, en primer lugar, por los peregrinos, los visitantes y los turistas que acuden a visitar este lugar y a venerar en él la imagen de Santa María, expuesta en la basílica.

Centenares de miles de visitantes suben cada año a Montserrat. Para aten-

der a sus necesidades más inmediatas, se han instalado, al lado del recinto del santuario, unos servicios de alojamiento y restauración, de los que se encargan unas doscientas cincuenta personas, que trabajan siguiendo la orientación del monasterio.

Desde sus orígenes, en Montserrat se encuentran, además de la montaña y del santuario con su santa imagen, dos instituciones que han marcado profundamente su fisonomía: la Escolanía y el monasterio.

La Escolanía

La Escolanía está actualmente formada por unos cuarenta y cinco chicos que reciben, además de una buena formación humana e intelectual, una intensa educación musical. Si bien la finalidad principal de la Escolanía sigue siendo, como ha sido siempre, la de participar con sus cantos en las celebraciones litúrgicas y en la oración comunitaria que se hace en la basílica, también suele dar al-

gunos conciertos en Cataluña y en otros países. También cabe destacar más de un centenar de grabaciones. Cada día, a la una de la tarde, los escolanes cantan la *Salve* y el *Virolai*; por la tarde, al terminar las vísperas a las 19.10, cantan la *Salve* montserratina y un motete polifónico. Los domingos y festivos intervienen en la misa conventual y en las vísperas, salvo un fin de semana al mes que son suplidos por la Schola Cantorum, un coro de nueva creación formado por escolanes y escolanas de entre 17 y 24 años. La Escolanía se encuentra ausente de Montserrat todos los sábados, ocho semanas en verano, dos semanas después

de Navidad y la semana después de Semana Santa.

El monasterio y la comunidad de monjes

La comunidad actual de Montserrat, con las comunidades de El Miracle y de Sant Miquel de Cuixà —dependientes de ella—, está formada por unos cincuenta monjes benedictinos que siguen la Regla de San Benito (s. VI). La vida común de los monjes vertebra la oración, el trabajo y todo lo que cada uno es. De esta total disponibilidad participan también los que se acercan al monasterio. De ahí el carácter singular que toma la vida del santuario, centrada en la oración en común de los monjes, abierta a todos, y en el servicio de acogida por parte de la comunidad hacia los que se dirigen a Montserrat.

Esta forma de vida supone que el monje sea un hombre de silencio interior que le disponga a escuchar la voz de Dios manifestada en las Sagradas Escrituras y en los acontecimientos de la Iglesia y el mundo. Este sentido de la presencia de Dios en la propia vida, rasgo fundamental de la espiritualidad monástica, en último término es lo que percibe el que se acerca a Montserrat, y es lo que da sentido a todas las activi-

dades que puedan desarrollarse en bien de la Iglesia y de la sociedad.

Las actividades laborales de los monjes son diversas. Unos se ocupan de la organización interna del monasterio, otros se dedican a trabajos de investigación, docencia o divulgación en varios campos: historia, teología, estudios bíblicos, liturgia, música, etc. Hay que señalar la importante editorial del monasterio, de las más antiguas de Europa.

Otros están al servicio del santuario: atienden de manera más directa las necesidades pastorales de la basílica, reciben a los diversos grupos, dirigen retiros, dan conferencias, se ocupan de la hospedería o, de manera más general, se encargan de que se cumplan las orientaciones que el monasterio desea que tengan los distintos servicios que se prestan a los peregrinos y visitantes en el recinto del santuario y en el parque natural.

Finalmente, otros monjes, conjuntamente con un grupo de profesores seglares, se ocupan de la formación integral de los escolanes. De ahí que algunos monjes se dediquen más in-tensamente a la dirección, a la composición o a la investigación musicales, o que se hayan convertido en músicos reconocidos, especialmente en el instrumento del órgano. Por la importancia que posee la música en Montserrat, el monasterio también dirige una editorial discográfica.

Una única comunidad

Cada día, y en horas diversas, las ocho grandes campanas, fundidas entre los años 1955-1958 y colocadas en el campanario gótico (s. XIV), tañen distintamente según cada celebración y cada fiesta. La mayor, que pesa siete toneladas y media, fue colocada en 1958 y recibe el nombre de *Santa María*. El repique de las campanas congrega en la basílica a los monjes, a los escolanes, a los que trabajan en el santuario, a los peregrinos, a los visitantes y a los turistas, para formar una única comunidad de plegaria —aunque sea con lenguajes diversos—, que se dirige a Dios Padre, fuente de toda bondad, para suplicarle la solidaridad entre todos los pueblos y la paz en el mundo.

El recinto principal del santuario

Los itinerarios que presentamos han sido pensados para que Montserrat pueda ser visitado sin necesidad de ningún guía. El tiempo indicado corresponde al tiempo de llegada hasta el lugar propuesto. Hay que tener siempre en cuenta que lo más importante, en Montserrat, no es el goce del conjunto arquitectónico sino el saber descubrir que en él se manifiestan una serie de valores religiosos, culturales, sociales, históricos y ecológicos que expresan simbólicamente la vivencia de un pueblo.

Empecemos el recorrido delante de la estación del cremallera, en la plaza de la Creu (706 m). Se llama así a causa de la cruz (1962) que hay en un extremo, monumento dedicado a san Miguel, patrón de la montaña de Montserrat. Si nos acercamos a ella veremos grabado en muchos idiomas el significado del nombre del arcángel san Miguel, que significa «¿Quién como Dios?». Es obra del escultor catalán Josep M. Subirachs (1927-2014). A mano derecha de la plaza se encuentra la oficina de información, a la que podemos dirigirnos para pedir las explicaciones que necesitemos. En ella se pueden obtener gratuitamente los folletos complementarios a la presente guía, que harán más atractiva y completa la estancia en Montserrat.

La plaza del Abat Oliba
Dejando la plaza de la Creu y subiendo por la subida de los Roures, llegaremos a la plaza del Abat Oliba. Al llegar a la plaza nos daremos cuenta de que la rodean tres grandes edificios, destinados a alojar a los peregrinos, en unas celdas o apartamentos equipados como corresponde a los tiempos actuales. En la planta baja del edificio situado a la derecha, el más antiguo —llamado de Nuestra Señora y construido (1895-1904) según el proyecto del arquitecto Francisco de Paula Villar y Carmona (1860-1927)—, encon-

traremos los servicios básicos: audiovisual, recuerdos, librería. El edificio de la izquierda son las celdas del abad Oliba, y en los bajos se encuentra la Policía (Mossos d'Esquadra), primeros auxilios y bar. En el fondo de la plaza hay otro edificio de celdas, el Cel·les de l'Abat Marcet, más moderno, que acoge en los bajos el supermercado. Al fondo de la plaza

se encuentra una fuente con seis caños, en la que podemos beber y refrescarnos. En su parte superior, en un espacio ajardinado que da continuidad a la vegetación del torrente de Santa María, que se adentra en la montaña, veremos una majestuosa escultura de bronce (1992), dedicada al abad Oliba, fundador del monasterio en 1025, obra de Manuel Cusachs (1933-2019). El abad, obispo de Vic (Osona), sentado en una cátedra en cuyo respaldo se representan los campanarios de los monasterios de Ripoll (Osona) y Sant Miquel de Cuixà (el Conflent), de los que también fue abad, sostiene con la mano izquierda unos planos que representan la primitiva iglesia de

Montserrat; con la mano derecha hace un gesto de bienvenida y acogida, según la tradición benedictina, a todos los que se acercan al monasterio y santuario de Montserrat.

En el centro de la plaza podremos contemplar dos cedros (*Cedrus libani*) centenarios, procedentes de las montañas del Líbano gracias al interés del

P. Bonaventura Ubach (sobre ese monje, consultar el itinerario II: El museo de Montserrat), y un bello tejo (*Taxus baccata*), árbol propio de la vegetación de Europa central y que se encuentra en los canales más umbrosos y húmedos de nuestra montaña.

El entorno de los árboles está ajardinado y dispone de unos bancos de piedra. El conjunto de la plaza recuerda una de tantas plazas de los pueblos de Cataluña, y al mismo tiempo que nos ofrece unos servicios nos trae a la memoria una larga historia secular, vivida por hombres y mujeres como nosotros que han descansado en ella y se han refrescado en su fuente antes de penetrar en el recinto más propiamente religioso.

La plaza de Santa María

La entrada a este nuevo recinto, situado muy cerca de la basílica, se efectúa desde la plaza donde nos encontramos por un portal, con un escudo de Montserrat datado del año 1565, en un fragmento de la antigua muralla. Pasando por este portal seguiremos la subida de Nostra Senyora, embellecida con una hilera de magnolias.

A mitad de la subida se encuentran los WC, a la izquierda, y la oficina de correos, a la derecha. Pasamos bajo un puente de peatones y, al salir de la plaza, en una hornacina en el muro de la izquierda, se halla una escultura de san Jorge (1986), obra de Josep M. Subirachs. Si muchos visitantes se paran a observarla es porque su mirada parece seguirte desde cualquier sitio que la observes y porque es parecida a alguna de las esculturas del mismo autor de la fachada de la Pasión del templo de la Sagrada Familia de Barcelona.

Salimos a la gran explanada, ganada a la montaña, que configura la plaza de Santa María, formada por tres plazas escalonadas (1929), obra del arquitecto Josep Puig i Cadafalch (1867-1956). Tenemos la entrada al monasterio a la izquierda. Desde aquí podremos apreciar mejor el conjunto arquitectónico de Montserrat: a mano izquierda, detrás del museo, está el hotel Abat Cisneros y servicios para los peregrinos y visitantes. En el centro de un lugar ajardinado contemplamos una bella cruz gótica (s. xv). Delante tenemos la nueva fachada del monasterio, a la derecha, la

coronación de la plaza (1942-1968), obra del arquitecto Francesc Folguera (1891-1960). El material principal con el que está construida la fachada es piedra pulimentada de la montaña; si nos acercamos a ella podremos apreciar el conglomerado que describíamos al hablar de la formación de la montaña.

En la parte alta de la fachada leemos la frase latina: «*Urbs Jerusalem beata dicta pacis visio*», que significa: «Feliz ciudad de Jerusalén, llamada visión de paz». Sentido que encontramos en la Biblia muchas veces y que indica la Jerusalén celestial, punto de referencia de cualquier santuario cristiano. Los tres grandes arcos superiores de la fachada que enmarcan el espacioso balcón están decorados con relieves del escultor Joan Rebull (1899-1981). El de la izquierda evoca la figura de san Benito, padre de monjes y patrón de Europa; el del centro representa la proclamación del dogma de la Asunción de María por parte del papa Pío XII; el de

la derecha muestra al patrón de Cataluña, san Jorge, juntamente con una representación de los monjes que murieron trágicamente durante la Guerra Civil (1936-1939). En esta plaza, durante muchos domingos y días festivos, podemos disfrutar de los actos folklóricos —sardanas, torres humanas (*castellers*), gigantes o bailes populares— que muchos peregrinos ofrecen después de haber asistido a los actos religiosos celebrados en el interior de la basílica.

Adosados al lado izquierdo de la fachada, podemos visitar los restos del antiguo claustro gótico (1476), construido por el abad comendatario Giuliano della Rovere, más tarde papa con el nombre de Julio II. Únicamente se conservan dos alas, con capiteles esculpidos con temas humanos y con los escudos de Montserrat y del abad que sufragaba la obra. En la planta baja del edificio adjunto al claustro gótico se encuentra el despacho del santuario, en el que podemos efectuar cualquier consulta o pedir algún servicio o ayuda espiritual.

La serie de figuras escultóricas que cierra la plaza por el lado derecho está dedicada a los santos fundadores de varios institutos religiosos que a lo largo de la historia se han relacionado con Montserrat. Ese conjunto arquitectónico de arcos y hornacinas con las correspondientes esculturas —obra de los artistas Claudi Rius (1892-1970), Francesc Juventeny (1906-1990), Enric Monjo (1896-1976), Joaquim Ros i Bofarull (1906-1991), y ofrecidas entre los años 1949-1953— es un excelente balcón desde el que podemos contemplar en días claros la llanura del río Llobregat, que desemboca en el Mediterrá-

neo después de serpentear por las numerosas e industriales villas y ciudades próximas a Barcelona. En el fondo se ve también la cordillera Litoral, con el Tibidabo, su montaña más renombrada, y la torre de telecomunicaciones del arquitecto Norman Foster, que nos recuerda los Juegos Olímpicos celebrados en Barcelona en 1992.

El atrio de la basílica

Atravesando uno de los cinco arcos que conducen al atrio del templo, podemos ver a la izquierda una escultura que representa a san Benito (1962), obra de hierro forjado de Domènec Fita (1927-2020). Esa escultura nos indica la puerta de acceso al monasterio, donde viven los monjes, enmarcada por un friso de piedra (1960) con alusiones a la fundación del monasterio, en 1025, por el abad Oliba, y a la leyenda que sitúa el hallazgo de la imagen de la Virgen en el año 880. Es obra del escultor Enric Monjo. Por razones evidentes de discreción y de respeto a la vida de los monjes, no es posible realizar visitas turísticas al monasterio. Señalemos, no obstante, que en su interior hay una valiosa biblioteca, abierta únicamente a los estudiosos, que contiene unos trescientos cincuenta mil volúmenes.

En ese mismo vestíbulo podemos admirar un portal gótico (s. xv) y dos sepulcros (s. xvi) que, junto con el portal románico de la antigua iglesia —en el pasillo más a la derecha que da paso al atrio— y el claustro gótico antes mencionado, nos hacen presente el Montserrat medieval y renacentista destruido por las tropas napoleónicas (1811-1812). En los laterales de los pasillos extremos que dan acceso al atrio vemos representadas las visitas a Montserrat de los Reyes Católicos, en el de la izquierda, y de Juan de Austria, en el de la derecha. Estas pinturas murales (1857), de un cierto estilo naíf, son obra del pintor y escultor Francesc Fornells-Pla (1921-1999). Al pasar por la parte central veremos, a cada lado, dos esculturas (1952), san José y san Juan Bautista, obra de Josep Clarà (1878-1958).

En el atrio, una lápida del año 1603 con una inscripción en latín nos recuerda que san Ignacio pasó aquí su noche de vela delante de la santa imagen de la Virgen, el 25 de marzo de 1522. Efectivamente, si miramos el pavimento, veremos al centro de la arcada una pieza redonda de mármol negro con una inscripción. En este sitio se encontraba el altar de la antigua iglesia románica, con la imagen de santa María que hoy veneramos en la basílica.

escultura de san Ignacio de Loyola, obra del escultor Gabriel Solanic (1895-1990). El baptisterio —realizado de acuerdo con el proyecto de la Junta del Foment de les Arts Decoratives e inaugurado en 1958— con una portalada del escultor Carles Collet (1902-1983). La parte superior representa el misterio de la Iglesia que da los sacramentos, a la derecha, que santifican la actividad y la vida humanas, a la izquierda. El interior está decorado con mosaicos de Santiago Padrós (1918-1971) y presidido por un dibujo de Josep Vila Arrufat (1894-1989) que representa el baptismo de Jesús. A su lado vemos el portal de la antigua iglesia románica, con las piedras muy gastadas por la erosión.

El atrio de la basílica, llamado del abad Argerich (s.xviii), fue bellamente decorado con esgrafiados durante los años 1952-1956, según diseños de Josep Obiols (1894-1967) y del P. Benito Martínez (1918-1988).

Si recorremos la parte derecha del atrio bajo el soportal, encontramos una

Puesto que Montserrat es un santuario y su iglesia tiene el título de basílica menor, otorgado por el papa León XIII en 1881, los esgrafiados de este lado del atrio evocan las basílicas y santuarios más importantes del mundo cristiano. En este ala del atrio hay dos esculturas más: san Pío X, obra de Enric Bassas (1890-1975) y san Gregorio Magno (1957), obra de Frederic Marès (1883-1991). Si recorremos el lado izquierdo del atrio, en primer término encontraremos una escultura de san Antoni M. Claret (1954), obra de Rafael Solanic, y una estancia con exvotos y estampas. Los esgrafiados de este lado del atrio nos ofrecen un breve resumen de la historia de Montserrat. En este espacio vemos otras esculturas significativas: el emperador Carlos V, obra del taller de Frederic Marès, y el rey Juan I de Aragón (1956), de Frederic Marès, delante de la cual quema continuamente la lámpara de la *Lengua Catalana* (1968). Al final de este ala del atrio se entra en un espacio donde los devotos de la Virgen ofrecen sus lamparillas.

Hay que poner de relieve la belleza del pavimento de mármol blanco y negro del atrio (1952). Se inspira en el del Capitolio romano, diseñado por Miguel Ángel. En el punto central podemos observar unas alegorías y una inscripción latina con referencias al bautismo. Desde aquí vemos, majestuosa, la basílica. Su primera piedra fue colocada en 1560 por el abad Bartomeu Garriga, pero no pudo ser consagrada hasta 1592, con las cubiertas y el cimborio por terminar. Con motivo de la celebración del IV centenario de aquella consagración (1992) se inició su restauración exterior e interior (1991-1995), bajo la dirección del arquitecto Arcadi Pla i Masmiquel (1945). Anteriormente ya se habían hecho otras restauraciones: durante los años 1900-1901, por ejemplo, la antigua fachada barroca fue sustituida por la actual, obra de Francisco de Paula del Villar y Carmona, con esculturas de los hermanos Venanci (1828-1919) y Agapit Vallmitjana (1830-1905).

Al llegar a este punto tenemos dos posibilidades: visitar la basílica o ir directamente a venerar la imagen de Santa María entrando por la puerta lateral de mano derecha, bajo los arcos. Recomendamos visitar, en primer lugar, la basílica; así se tendrá una visión más completa del conjunto. Después podremos ir a venerar la imagen de Santa María.

Es indispensable que en la basílica guardemos el máximo silencio posible y que no circulemos por ella durante las celebraciones litúrgicas.

La basílica

La iglesia de Montserrat se inscribe arquitectónicamente entre la tradición gótica y la asimilación de las nuevas formas renacentistas que en aquel momento (s. XVI) la arquitectura catalana empezaba a aplicar. Al entrar, nuestra vista se dirige hacia la cabecera de la nave, donde están el coro de los monjes y el altar mayor. En el centro de su parte superior vemos una hornacina-templete dorada, proyectada por Francisco de Paula del Villar, donde podemos ver el trono de plata con la imagen de Santa María que preside toda la nave. A diferencia de otras

iglesias, la de Montserrat tiene una única nave con capillas comunicadas a través de los contrafuertes y, en su parte superior, tribunas laterales; en ese punto, la bóveda arranca con arcos y nervios moldurados, en medio de los cuales se forman unas lunetas con ojos de buey laterales; en el lugar correspondiente al crucero, vemos el gran cimborio octogonal.

A causa de la guerra de la Independencia (1808-1814) la basílica quedó muy dañada y hubo necesidad de repararla a fondo posteriormente, a fines del siglo XIX. La calidad de la decoración «románico-bizantinizante» de la nave puede ser discutida, pero en cualquier caso los arquitectos, pintores y escultores que intervinieron en el presbiterio y en las capillas laterales son considerados maestros del modernismo y del simbolismo de la época.

A medida que vayamos entrando en la basílica nos daremos cuenta de que no se trata de una iglesia de grandes proporciones, aunque sí lo es si pensamos en la época en que fue construida, en el lugar en que se encuentra y en los medios de que se disponía entonces. La nave central mide 58 metros de largo, 15 de ancho y 23 de altura de bóveda. Actualmente,

gracias a la restauración mencionada (1991-1996), el templo es lumino-
so debido a la entrada de luz natural,
pero no ha perdido aquel ambiente
que invitaba a la intimidad.

Alrededor de la nave central y en
el interior de las capillas laterales hay
numerosas lámparas votivas, algunas
de ellas de gran valor artístico y muy
representativas de la orfebrería catalana que se inició en el período de la
postguerra (1940). Las lámparas, que
recuerdan las que habían existido antes de la destrucción de Montserrat
(1811-1812), han sido ofrecidas por comarcas, pueblos, agrupaciones y enti-
dades varias de Cataluña y por algunas
asociaciones de catalanes de España
y del extranjero. El conjunto simboliza,
pues, una ofrenda y una presencia continua del pueblo catalán a los pies de
Santa María de Montserrat, su patrona.

En las pilastras centrales de la nave
se hallan las esculturas de los profetas
Ezequiel, Jeremías, Isaías y Daniel, que
nos recuerdan las profecías referen-
tes a la Virgen María. Fueron talladas
en madera por Josep Llimona (1864-
1934) y colocadas en aquel lugar en
1896. Puesto que nos encontramos
en el centro de la nave, podemos visitar las capillas que tenemos a nuestra izquierda.

Las capillas de la basílica

En el mismo lado, la primera capilla
está dedicada a santa Escolástica, her-
mana de san Benito. Las esculturas son
obra de Enric Clarasó (1857-1941) y Agapit Vallmitjana. Fue restaurada en 1894.

La capilla del Santísimo fue reforma-
da según el proyecto del escultor Josep
M. Subirachs en 1977. Es de una gran sobriedad, que invita al silencio; de hecho,
el conjunto no deja de evocar las refor-
mas que el arte religioso experimentó
después del concilio Vaticano II (1962-
1965). Si nos acercamos a ella, encontraremos una gran vidriera que quiere ais-
larla de la nave; el pasamanos de los dos

batientes es de bronce y tiene grabados unos símbolos que reclaman nuestra atención: los de la izquierda representan la vida: la Escala de l'Enteniment de Ramon Llull (*Escalera del Entendimiento*), Montserrat, san Jorge; los de la derecha, la muerte: la torre de Babel; entre ambos grupos de símbolos podemos leer una oración del poeta catalán Salvador Espriu (1913-1985) dirigida a san Jorge, patrón de Cataluña, pidiéndole que en nuestro país no haya nunca más una guerra civil, sino la paz. En el interior de la capilla, tal como desea el artista, fijemos la atención únicamente en lo esencial: el conjunto formado por el altar y el retablo, porque, de hecho, todo el resto es desnudez. El conjunto está construido con una sola pieza de cemento para subrayar la unidad de lo que simboliza: cada vez que celebramos la eucaristía alrededor del altar anunciamos la victoria sobre la muerte —representada por un hueso al pie del altar— gracias a la resurrección de Jesús, simboliza-

da en el retablo que arranca del propio pie del altar. El diseño del mobiliario litúrgico muestra la misma sobriedad: el sagrario de plata con grabados al óxido (1967) es obra de Manuel Capdevila (1910); el resto: cruz, sede, ambón, candelabros (1996-1997), también de plata grabada al óxido y con madera esmaltada, es obra de Joaquim Capdevila (1944).

En la tercera capilla se encuentra una pintura monumental (1904) de Josep Cusachs (1851-1908), que representa la Huida a Egipto. La habilidad en presentar cada una de las figuras y la elección de los colores la convierten en una composición digna de ser contemplada. En efecto, por un lado describe con vivo realismo la ansiedad de los tres fugitivos que, con la ayuda de una robusta mula, avanzan precipitadamente sobre el terreno pedregoso del exilio; por otra parte, un grupo casi etéreo de ángeles rodeado por la niebla y los colores matutinos parece que lleve hacia un lugar seguro, como sosteniéndolos, a Jesús, María y José.

La siguiente capilla es la del Santo Cristo. La imagen de Cristo clavado en la cruz es obra de Josep Llimona, ofrecida en 1933 por los Portantes del Santo Cristo de la diócesis de Barcelona. En la pared opuesta se halla una pintura de *La Pietat de Montserrat* (1995), sobre un cielo tempestuoso y un paisaje panorámico donde destaca la montaña, de Josep Lluís Arimany (1923-1999).

La última capilla está dedicada a la Inmaculada Concepción y fue inaugurada en 1910. El proyecto (1906) es del arquitecto Josep M. Pericas i Morros (1881-1965). Para comprender el valor del conjunto arquitectónico hay que conocer a su autor. Su punto de partida, por lo que se refiere a la concepción de la forma y al tratamiento de los materiales, fue Antoni Gaudí; posteriormente completó su carrera con las distintas influencias que permitieron la arquitectura de carácter totalmente modernista. Hay que poner también en relieve el vi-

tral de Darius Vilàs (1880-1950), del mismo estilo. La capilla, pues, es un ejemplo muy conseguido de la integración de las diversas artes propias de la época modernista.

Las capillas de la derecha serán explicadas mientras hagamos el recorrido hacia el camarín de la Virgen.

El presbiterio y el coro de los monjes

Si avanzamos hacia el presbiterio, las pinturas modernistas que decoran los lienzos de pared que se encuentran entre las pilastras merecen que nos detengamos. Las de arriba, de grandes proporciones, son obra de Alexandre de Riquer (1856-1920), Joaquim Vancells (1856-1942) y Joan Llimona (1860-1926). Las dos más próximas a la hornacina-templete representan grupos de ángeles; en las del centro se hallan representadas alegorías sobre Montserrat y Cataluña (a la derecha) y la Iglesia (a la izquierda); las dos de los extremos contienen escenas de la leyenda del hallazgo de la imagen de Santa María en la Santa Cueva. Las cuatro pinturas situadas en la parte inferior son escenas relacionadas con la vida de la Virgen, obra de Joan Llimona, Dionís Baixeras (1862-1943) y Lluís Graner (1836-1929).

El presbiterio y el coro de los monjes fueron remodelados durante los años 1957-1958 según el proyecto inicial del arquitecto Francesc Folguera, con la colaboración de los monjes P. Pere Busquets (1925-2007) y P. Crisòleg Picas (1922-2013). El altar mayor está formado por un solo bloque de piedra de ocho toneladas, extraído de la montaña. Reposa sobre el basamento de una losa procedente del antiguo altar de la basílica, del que también se extrajo la piedra para grabar la lápida —con el símbolo eucarístico del pelícano esculpido por Joan Rebull— detrás de la que se encuentran las reliquias de varios santos. Su bello frontal esmaltado (1959), obra de Montserrat Mainar (1928), está montado en un marco con esculturas de plata del orfebre Manuel Capde-

vila. Preside el altar una cruz de oro repujada con un crucifijo de marfil, atribuido a Ghiberti (s. XVI), ofrecido en 1960 por el Colegio de Médicos de Cataluña y Baleares. La cruz cuelga de la corona-baldaquín, también obra de Manuel Capdevila y adornada con un dosel dibujado (1960) por Joaquín (Fernando) González y Cañete (1932-1995), discípulo de Josep Grau i Garriga (1929-2011).

El acceso al camarín de la Virgen

Para ir a venerar la imagen de Santa María, que vemos en la tribuna central, tenemos que salir al atrio y volver a entrar a la basílica por la puerta lateral de la derecha, convenientemente señalizada.

La escultura que se encuentra encima de esa puerta es el tímpano del antiguo portal barroco del templo. Se le ha añadido una inscripción, en su parte inferior, que recuerda las fiestas del centenario de la coronación de la imagen de la Virgen y de su proclama-

ción como patrona de Cataluña (1980-1981). Al ir avanzando podemos observar más de cerca las capillas laterales del lado derecho de la basílica, las cuales, además de estar embellecidas con notables esculturas y vitrales con alusiones a la vida de María, contienen las sepulturas de las familias que hicieron posible su ornamentación a fines del siglo xix.

La primera está dedicada a san Pedro, con una escultura de bronce (1945) de Josep Viladomat (1899-1989); enfrente se encuentra una lápida que conmemora la peregrinación del papa san Juan Pablo II, sucesor de Pedro, a Montserrat (1982).

La segunda nos trae el recuerdo de san Ignacio de Loyola, el peregrino de Montserrat por antonomasia, representado en la pintura del retablo (1893), de Ramir Lorenzale i Rogent (1859-1917); a nuestra derecha se halla una reproducción facsímil de la espada que Ignacio dejó en Montserrat durante la vigilia del 25 de marzo de 1522. El altar propiamente dicho es de mármol con una escultura que representa el papa san Clemente, de Venanci Vallmitjana.

La tercera es la capilla de san Martín (1898), esculpido en el momento decisivo de su vida en el que con la espada partió su capa y dio una parte de ella a un pobre; la cara del pobre es un autorretrato del propio escultor, Josep Llimona.

La cuarta contiene un bello retablo de estilo modernista (1891), obra de Francesc Berenguer i Mestre (1866-1914), dedicado a san José de Calasanz,

que en 1585 también visitó Montserrat. Fue ofrecido por la Escuela Pía en 1891.

La última capilla nos sorprende con una pintura al óleo sobre tabla (1980) de Montserrat Gudiol (1933-2015), que evoca la figura de san Benito, padre de monjes, en su juventud; con las manos sostiene la Regla que escribió para ordenar la vida monástica.

A la izquierda de la escalera de acceso al camarín se encuentra la entrada a la cripta, arreglada en 1950-1951 por Francesc Folguera, que contiene el sepulcro del abad Antoni M. Marcet, magnífica obra de Joan Rebull, y los restos conservados de los veintiún monjes asesinados durante la Guerra Civil y beatificados como mártires en 2013.

La estancia del trono de la Virgen

La idea de reformar la estancia del trono de la Virgen, con las correspondientes antecámaras, y construir una nueva escalera de acceso al camarín nació en 1944 y culminó en las fiestas de la Entronización del 27 de abril de 1947. El conjunto no quedó completado hasta 1954, cuando se celebró el año mariano. En la ejecución del proyecto, diseñado y dirigido por el arquitecto Francesc Folguera y el pintor Josep Obiols, intervinieron arquitectos, dibujantes, escultores y orfebres, con la finalidad de conseguir una colaboración de los artistas catalanes y una síntesis de las artes plásticas catalanas de mediados del siglo xx.

Se accede a dicha estancia por un gran portal de alabastro en el que hay representadas referencias bíblicas que la tradición cristiana ha relacionado con María, Madre de Dios. Fue inaugurado en 1954. Había sido esculpido por Enric Monjo. Los dos candelabros que lo flanquean, igualmente de alabastro, son debidos a Rafael Solanic. El interior de la escalinata está decorado con bellos mosaicos, obra de Santiago Padrós, según diseño del P. Benito Martínez. Los de la derecha representan santas vírgenes; los de la izquierda, santas madres.

Nos encontramos en la sala en la que hace algunos años se exponían los ex-votos y las ofrendas de los peregrinos a la Virgen por las gracias recibidas. Ac-tualmente solo tres ofrendas se presentan como símbolo de todo el resto; nos referimos a las tres banderas expuestas en el interior de un majestuoso armario modernista de ébano y marfil, proyectado y realizado (1928) por Eusebi Busquets (1875-1962).

La presencia de dichas ofrendas cerca de Santa María puede ayudar al pueblo catalán a vivir reconciliado y en fraternidad con todos los hombres y mujeres que lo constituyen, y en soli-

ceso al trono de la Virgen —espacio que se repite al otro lado y que veremos después de venerar la sagrada imagen— son de Josep Obiols y representan las mujeres virtuosas y valientes mencionadas por la Biblia.

Unas puertas de plata repujada dan acceso a las pequeñas escaleras que suben a la cámara del trono de la Virgen; son obra de los artistas Josep Obiols, Rafael Solanic y Manuel Capdevila. Dicha cámara, visible desde la nave central, está enteramente cubierta de mosaicos venecianos diseñados por Josep Obiols y realizados por Santiago Padrós, que representan a María, simbolizada como Madre de la humanidad, de los apóstoles, de la Iglesia, de Cataluña, de los monjes y de los peregrinos.

Las nueve lámparas de plata que circuyen la estancia, debidas a Xavier Corberó (1901-1981) representan las ocho diócesis de Cataluña y Montserrat. Los dos candelabros de alabastro situados a ambos lados del trono, obra de Pere Jou (1891-1964), contienen esculturas que evocan las procesiones de peregrinos que han venerado la sagrada imagen.

El trono de la Virgen, concebido a manera de retablo de plata repujado, fue una ofrenda del pueblo catalán (1947). Consiste en dos relieves de plata, debidos al orfebre Ramon Sunyer (1889-1963), y unas molduras que los unen, realizadas por el también orfebre Alfons Serrahima (1906-1988), según el proyecto de Joaquim Ros i Bofarull, que representan la Natividad y la Visitación de la Virgen. Encima de la sagrada imagen, unos ángeles, del escultor Martí Llauradó (1903-1957), sostienen la reproducción de la corona, el

daridad con todos los demás pueblos y culturas, siempre preservando la propia identidad. Al otro lado de la sala se encuentra la fuente de la Virgen, cuyos relieves son obra de Carles Collet, así como los capiteles que ornamentan sus arcos. Los relieves de la base de la fuente representan los milagros de Jesús relacionados con el agua: la tempestad calmada, la pesca milagrosa y la piscina probática. El agua siempre ha sido uno de los símbolos de la vida. María nos da a Jesús, nuestra vida. Desde ahora nunca más tenemos que temer nada, porque él está a nuestro lado y se ocupa de nosotros. Él nos ofrece el agua —el bautismo del espíritu— gracias a la cual nunca más tendremos sed y obtendremos vida para siempre. Los grupos escultóricos de los capiteles nos recuerdan los milagros medievales atribuidos a Santa María de Montserrat.

Al fondo de la sala, una pintura de Carlo Maratta (1625-1713) representa el nacimiento de Jesús, en brazos de María, su madre. Las pinturas murales que encontramos en la pequeña sala de ac-

cetro y el lirio que el pueblo catalán ya había ofrecido por suscripción popular en 1881 (las piezas originales, en las que intervinieron Francisco de Paula del Villar y Lozano, Joan Suñol y Joaquina Cabot, están expuestas en el museo). La sagrada imagen, bella talla de madera policromada del siglo XII, reposa sobre un bloque de piedra pulimentada de la montaña de Montserrat, en cuya base se encuentra un san Miguel, obra de Josep Granyer (1899-1983). La imagen está protegida por un baldaquín y un cristal semicilíndrico. El color oscuro de la cara y de las manos, a causa del cual se incluye entre las Vírgenes negras, ha motivado que sus devotos catalanes la llamen familiarmente *Moreneta* (Morenita). El color no se debe a la madera, que no es negra, ni a la pintura primitiva: hay testimonios históricos que nos indican que se ha ido oscureciendo lentamente. El gesto ritual que se utiliza para venerar esta sagrada imagen es besar o tocar su mano derecha, que sostiene una bola, símbolo del uni-

verso; con la otra hace el gesto de ofrecernos a Jesús, su Hijo, el que nos da la vida para siempre.

El camarín o capilla de la Virgen

Bajemos de la cámara del trono de la Virgen. A mano derecha se encuentra el camarín, espacio situado en el centro de los tres grandes ábsides neorrománicos adosados a la fachada oriental del templo. Se inició en 1876 y no se terminó hasta 1885. Dirigió las obras el arquitecto Francisco de Paula del Villar y Lozano (1828-1901), ayudado por el joven arquitecto Antoni Gaudí (1852-1926) y más tarde por su propio hijo Francisco de Paula del Villar y Carmona, que continuó la obra de restauración de la iglesia.

La decoración interior de lo que es más propiamente el camarín o capilla de la Virgen no se ultimó hasta 1887. Podemos constatar que en ella se llega a una difícil, pero no menos bella, armonía con varios elementos neorrománicos, neogóticos y renacentistas, que la sitúan en el premodernismo catalán. A contraluz del vitral central, frente a la imagen de la Virgen, se encuentra una escultura de san Jorge, patrón de Cataluña, esculpida en madera y policromada por Agapit Vallmitjana. Sus rasgos faciales hacen suponer que se trate de un retrato de Venanci Vallmitjana, hermano del autor.

Tiene un gran interés artístico la pintura de la cúpula (1896-1898), de Joan Llimona, de difícil ejecución por problemas de perspectiva. Señalemos sus aspectos más importantes. El conjunto tiene unas tonalidades claras y luminosas que dan énfasis a la apoteosis en el infinito del firmamento, en el que aparece la Virgen con Jesús en brazos, rodeada de ángeles y arcángeles. A continuación, una panorámica de la montaña de Montserrat marca la intersección del espacio celestial con el terrenal. En la parte inferior de la cúpula, a ambos lados, se ve la multitud de peregrinos: a la derecha avanzan los del estamento eclesiástico y, a la izquierda, los del civil; los personajes representados están relacionados con la simbología y la historia de Cataluña. En conjunto, se trata de una auténtica joya artística de Montserrat y de la pintura catalana moderna.

El camino del Avemaría

Al salir de la pequeña sala de acceso al trono nos encontramos en el exterior, pero el espacio sagrado continúa en el camino del Avemaría, delimitado por el espeso muro del templo y por la propia montaña. Para dar un sentido de continuidad entre el interior y el exterior y al mismo tiempo para proteger a los fieles de las inclemencias de la lluvia, el arquitecto Josep M. Martorell (1925-2017) construyó una cubierta (1982) de bóveda de cañón de metacrilato transparente, sostenida por una estructura de hierro y hormigón que da énfasis a su agilidad buscada. Así no entra en competencia con la montaña, puesto que permite ver el firmamento, la vegetación y las rocas, ni con el dignísimo muro del siglo XVI de la basílica; ambos quedan integrados en un espacio en el que la devoción a Santa María se desahoga profusamente.

No hay necesidad de demasiadas explicaciones. Es suficiente contemplar los miles de lamparitas que se ofrecen diariamente; los grandes cirios —elaborados con cera de las lamparitas que no han podido extinguirse por completo—, encendidos noche y día; las lámparas, continuación de las que iluminan el interior del templo; las conocidas oraciones dirigidas a la Virgen, escritas en populares mayólicas; las letanías marianas del rosario forjadas en hierro; la escultura de bronce (1978) de Apel·les Fenosa (1899-1988), que evoca la Anunciación del ángel a María, y al final, otra vez la imagen de Santa María tal como la representaban los artistas del período barroco, reproducida en una gran mayólica (1982), obra, como todas las demás de este camino, del ceramista Joan Guivernau (1909-2001). En el trayecto, tengámoslo en cuenta, cada llama, cada mayólica, cada letanía simboliza la oración de una persona, de una familia, de todo un pueblo, dirigida a Santa María.

El camino del Avemaría nos conduce nuevamente al atrio de la basílica, punto de partida de un largo e intenso recorrido. Ahora podemos comprender mejor el significado de la visita que hemos realizado. Lo más importante no son las obras de arte, ni sus autores, ni sus fechas o épocas de ejecución, sino la percepción de la vivencia religiosa y humana que miles y miles de personas experimentan en ese espacio a lo largo del año. Un espacio que es santo porque en su nave central nos encontramos cada día, varias veces, los monjes y los escolanes, los peregrinos y los visitantes, formando una única comunidad de espíritu que celebra y canta, junto con María, que Dios es santo y nos salva. Un espacio que es santo porque alrededor de la comunidad se forma —al ir y volver del camarín— una gran cadena de peregrinos que rezamos a Santa María para que interceda por nosotros cerca de Dios, Señor nuestro, para que nos conceda su misericordia y su amor por siempre. La asamblea litúrgica reunida en la nave llena de sentido la gran cadena de devoción popular que la rodea. El verdadero templo de Montserrat está formado, pues, no por unas piedras sino por todos los hombres y mujeres que visitan el santuario o que viven permanentemente en él. Se convierten así en realidad las palabras del apóstol Pablo: «Sois un templo de Dios y el espíritu de Dios habita en vosotros. El templo de Dios es santo, y este templo sois vosotros» (1C 3, 16s).

El presente itinerario puede ser un complemento del primero. Después de visitar la basílica, si aún disponemos aproximadamente de una hora, se recomienda visitar el museo. Es uno de los más interesantes de Cataluña por la variedad e importancia de piezas que contiene.

La mayoría de obras de arte que se exponen en él son donaciones de particulares al monasterio, con el deseo de que sean accesibles a los visitantes de Montserrat. El monasterio cumple esa voluntad, con un espíritu pedagógico y de servicio a la cultura. La visita al museo, pues, os ofrece la posibilidad de conocer mejor una parte de la historia de Montserrat y de Cataluña a través de sus manifestaciones artísticas. La intención didáctica del museo procede ya del P. Bonaventura Ubach (1879-1960), monje de Montserrat, que en sus largas estancias en el Oriente Medio, entre 1906 y 1951, recogió y adquirió una gran cantidad de objetos y material arqueológico, etnológico, botánico y zoológico, relacionados con el mundo de la Biblia y destinados a ilustrar las Sagradas Escrituras y fomentar su conocimiento. Fruto de sus enseñanzas y de su entusiasmo es el grupo de monjes que forman el *Scriptorium Biblicum* de Montserrat, gracias al cual se inició, en 1926, una edición de la Biblia, traducida al catalán directamente de los textos originales, y el museo del Oriente bíblico que, entre otras colecciones, os proponemos contemplar.

El Museo de Montserrat ocupa los espacios creados entre 1928 y 1933 por el arquitecto modernista Josep Puig i Cadafalch en el subsuelo de las plazas y en los cimientos de la torre del Monasterio. Una parte del museo está estructurada con vigas y jácenas Vierendeel y otra con bóveda catalana. Este marco arquitectónico acoge las diferentes colecciones del museo. La remodelación de los dos grandes espacios para el uso del museo se produjo durante los años

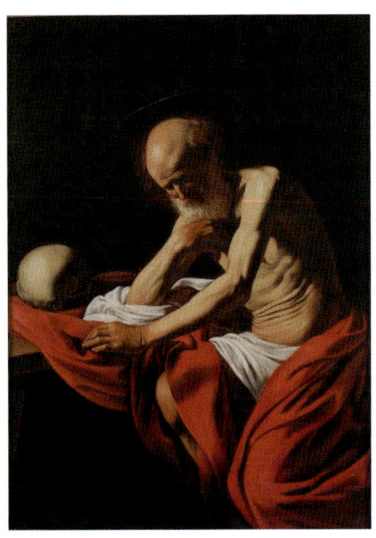

1980-1982, según el proyecto y la realización del P. Pere Busquets y del P. Crisòleg Picas. Y unos años más tarde (1995-1996) se encargó su ampliación a Josep Garganté (1943). Más adelante, el arquitecto Arcadi Pla habilitó un nuevo acceso y añadió un par de salas para exposiciones temporales y una sala de conferencias. En 2023 se amplió con la nueva sala «Montserrat s. XIV», donde se encuentran los restos de edificaciones más antiguas de Montserrat conservadas in situ.

Las diferentes salas del Museo de Montserrat contienen las colecciones de arte, orfebrería y arqueología. El museo dispone también de dos salas de exposiciones temporales: la Sala Pere Daura y el Espai d'Art Pere Pruna, que complementan la exposición permanente.

Entremos al museo bajando hasta la planta 0, donde están la recepción y la tienda. Iniciemos la visita subiendo a la planta 1, donde podremos admirar las colecciones expuestas, por el siguiente orden de recorrido:

1. **Pintura antigua.** Colección de pintura sobre todo italiana en la cual destaca San Jerónimo penitente de Caravaggio, además de otros artistas (El Greco, Pedro de Berruguete…). Gran parte de las pinturas de esta sección provienen de las adquisiciones hechas por el abad Antoni M. Marcet y el padre Ubach en Roma y Nápoles entre 1913 y 1920. La colección se ha ampliado con adquisiciones y donaciones.

2. **Pintura de los siglos XIX y XX.** Es la sección más numerosa y notable del Museo de Montserrat. El germen fue la donación de la colección de Josep Sala Ardiz, integrada en 1982, a la cual siguieron otras. Este conjunto artístico presenta una panorámica muy equilibrada y de gran calidad del despliegue del arte catalán contemporáneo (Marià Fortuny, Ramon Casas, Santiago Rusiñol, Francesc Gimeno, Picasso…), enriquecida con obras de grandes autores de otras escuelas (impresionistas, Alfred Sisley, etc.).

3. **Arqueología del Oriente bíblico.** Una importante colección de materiales arqueológicos del Próximo Oriente (Antigua Persia, Mesopotamia, Egipto y Palestina) reunidos, en gran parte, por el P. Bonaventura Ubach desde 1906, a los que se han añadido nuevos materiales procedentes de posteriores donaciones. También es posible visitar otro fondo similar bajo reserva.

4. *Nigra sum.* Una muestra muy variada de la evolución iconográfica de la Virgen de Montserrat a lo largo del tiempo.

Terminada la visita a esta planta, bajemos a la planta 0, donde encontraremos los siguientes ámbitos:

5. *Phos Hilaron.* Los iconos traspúan la fe y el espíritu de las Iglesias de Oriente. Desde 2005, el museo expone permanentemente bajo el nombre *Phos Hilarion* «Luz jubilosa», en un ambiente sugestivo de color púrpura y luz dorada, un conjunto de ochenta piezas griegas y eslavas de los siglos XVII al XX.

6. Orfebrería. Muestra de objetos litúrgicos o religiosos de la Abadía de Montserrat, muchos de ellos hechos por orfebres catalanes de los siglos XIX y XX. Algunas piezas son emblemáticas: las vinajeras y el cáliz ofrendadas por el emperador Fernando III de Austria, un reliquiario de cristal ofrecido por la familia Gonzaga —únicas piezas conservadas del antiguo «tesoro» de Montserrat— y la corona y el cetro de la Virgen ofrendadas por suscripción popular cuando fue declarada patrona de Cataluña (1881).

7. Pintura de los siglos XIX y XX. En este espacio podemos ver pintura de artistas como Joaquim Mir o Isidre Nonell.

8. Arte contemporáneo. El arte de vanguardia y contemporáneo de esta sección se encuentra, naturalmente, en un estado germinal, pero posee obras de grandes artistas (Salvador Dalí, Georges Rouault…) que marcan las pautas de su crecimiento.

Volvemos a encontrarnos en la entrada, donde podemos poner fin a la visita en las salas de exposición temporal.

Paseos por los alrededores del santuario

1. **El Viacrucis.** (20 minutos)
2. **La miranda de Fra Garí.** (20 minutos)
3. **La capilla de Sant Miquel.** (45 minutos)
4. **A Sant Joan por Sant Miquel.** (1 hora y 15 minutos)

Este itinerario tiene diversas posibilidades: hacer solo uno de los paseos propuestos o completar el Viacrucis a través de uno de los otros recorridos que indicamos. No aconsejamos hacer estos itinerarios uno detrás de otro, porque estamos ofreciendo un paseo, no excursiones. El tiempo indicado, pues, también corresponde a un paso bastante lento. Desde cualquiera de estos sitios hay magníficas panorámicas del conjunto del monasterio y santuario de Montserrat.

El Viacrucis

El viacrucis es un acto de devoción que consiste en seguir, orando y meditando ante catorce cruces o estaciones, los episodios del camino de la Cruz (Viacrucis) que anduvo Jesús con el madero a cuestas desde la casa de Pilatos hasta el Calvario. Para el cristiano, hacer materialmente ese recorrido es manifestar su deseo de identificarse con los mismos sentimientos de Cristo Jesús y esperar, junto con él, la resurrección prometida por Dios Padre a todos los que creen en el Hijo.

El camino que nos lleva al Viacrucis se inicia en la plaza del Abat Oliba (710 m). A la izquierda de la fuente se encuentran unas escaleras y al llegar al final vemos la primera estación. El recorrido que continúa hacia la izquierda, pese a estar tan cerca del bullicio del santuario, es silencioso, a menudo solitario y siempre bajo la sombra del encinar que lo cubre. Es uno de los paseos más bellos y sencillos que pueden hacerse sin apartarse del recinto del santuario. Se trata de un lugar de plegaria para muchos peregrinos.

Entre los años 1904 y 1919, los arquitectos Enric Sagnier (1858-1931) —uno de los más destacados de la escuela eclecticista contemporánea del modernismo— y Eduard Mercader (1840-1919) construyeron un Viacrucis monumental, con esculturas de Eusebi Arnau (1854-1934) y Joan Pujol, sufragadas por varias asociaciones. Ese Viacrucis fue destruido a principios de la Guerra Civil (1936). Lo único que se conserva de él es la capilla

de la Soledat o de la Dolorosa (1916), decorada con pinturas de Darius Vilàs y con una escultura de Josep Llimona, que se encuentra al final del recorrido.

Durante los años cincuenta se proyectó un nuevo Viacrucis. Intervino en el proyecto el arquitecto Francesc Folguera (1891-1960). Se llevó a cabo en dos etapas muy definidas. La primera, con esculturas de Margarida Sans Jordi (1911-2006) y Francesc Juventeny (1906-1990); la segunda, con obras de Domènec Fita. No obstante, durante los últimos años los desprendimientos y el poco respeto de algunos hacia los bie-

nes colectivos han destruido algunos de los monumentos, hasta el punto de que ha sido preciso retirarlos y han sido sustituidos por una simple estela diseñada por Josep Garganté (1943). Unos años atrás podíamos disfrutar de una bonita vista del recinto de Montserrat desde la doceava estación, porque durante la madrugada del Jueves Santo de 1991 se deslizó una gran piedra y produjo la hendidura que aún se puede intuir.

A mano derecha de la plaza que se encuentra ante la capilla de la Dolorosa vemos el tramo de escaleras que nos conduce al camino de Sant Miquel. Una vez allí, podemos volver tranquilamente al santuario sin necesidad de cambiar el paseo que hemos llevado a cabo, u optar por uno de los itinerarios siguientes.

La miranda de Fra Garí

El atajo que conduce a la miranda de Fra Garí (810 m) se toma unos metros des-

VOS SOU L'HONOR DEL NOSTRE POBLE

en un torrente. De pronto terminamos la subida y el atajo se convierte en un camino llano hacia la derecha. Pasamos frente a una cueva en la que la tradición popular ha querido situar el lugar en el que vivía fray Garí, el mítico personaje de la leyenda más antigua sobre Montserrat, juntamente con la del hallazgo de la Virgen en la Santa Cueva. Un poco más allá se encuentra la miranda de Fra Garí, desde la que disfrutaremos de un bello panorama del conjunto del recinto del santuario de Montserrat al pie de un roquedal inmenso; al fondo vemos, entre otras, la roca de l'Elefant. Aquí mismo podemos venerar la imagen de Santa María, reproducida en una mayólica.

pués de la puerta de salida del Viacrucis al camino de Sant Miquel. Está señalada, aunque las escaleras iniciales que conducen a ella están un poco escondidas entre el encinar. Durante muchos años, este breve y bello recorrido ha estado muy deteriorado hasta el punto de ser prácticamente intransitable; actualmente está en buenas condiciones y la subida no tiene ninguna dificultad; solo es indispensable tener unas piernas ágiles.

Los ochenta metros de desnivel que hay que superar se remontan rápidamente por el atajo en zigzag que sube por el centro del canal de los Monos, que, cuando llueve, fácilmente se convierte

dos esculturas más sobresalientes son las que representan a Pau Casals y a san Francisco de Asís.

La primera, obra del escultor Joan Rebull, es un monumento al gran músico catalán con motivo del centenario de su nacimiento, en 1976. Algo más arriba, y después de la zona destinada a la acampada —el único lugar en todo el parque natural de Montserrat en que se permite—, tenemos a la derecha la esbelta escultura de san Francisco, ofrecida por los Terciarios Franciscanos de Cataluña en 1927, año en que se conmemoró el VII centenario de la muerte del santo; es obra del escultor Josep Viladomat (1899-1989). La puerta de Sant Miquel que tenemos que bordear por un paso peatonal, marca el final del recinto del santuario por el lado de levante.

El camino que seguimos es el itinerario de acceso más importante del Montserrat medieval. Tiene el punto de partida en la localidad de Collbató, al pie de la montaña; pero nosotros únicamente seguiremos su tramo final, hasta la capilla de Sant Miquel, en la que, después de un largo viaje, los peregrinos

La capilla de Sant Miquel

El camino de Sant Miquel empieza a la izquierda de la plaza del Abat Oliba y nos conducirá de manera suave y agradable a la capilla que da nombre al camino. En su primer tramo encontramos plazoletas en las que los peregrinos tienen costumbre de reunirse o simplemente descansar. De vez en cuando vemos estelas, monolitos y esculturas que asociaciones diversas han colocado en recuerdo de algún acontecimiento notable. Las

veían por primera vez el monasterio y santuario de Montserrat y se organizaban procesionalmente para manifestar de la mejor manera su devoción y respeto hacia Santa María.

Unos cien metros antes de llegar a la capilla, tomamos un camino de bajada, a mano izquierda, que nos conduce a la cruz de Sant Miquel (770 m), magnífico mirador: desde los Pirineos hasta el delta del Llobregat, además de la panorámica del conjunto de Montserrat. Una gran cruz de hierro nos recuerda las cruces que coronan los picos montserratinos en los grabados medievales y barrocos.

Volvemos al camino de Sant Miquel, que nos conduce hasta la capilla (825 m). Antiguamente era una ermita, ya documentada en el siglo X. Sobre sus fundamentos, en 1870 el abad Miquel Muntadas mandó construir la capilla actual. En 1958 se le añadieron, para dar abrigo a los visitantes, los pórticos que la rodean.

A Sant Joan por Sant Miquel

Si estamos cansados o tenemos el tiempo justo, podemos deshacer el camino

para volver al santuario. En caso contrario, avanzando algo más y, después de pasar por el lado de la balsa de Sant Miquel, preparada para recoger agua para sufocar incendios, llegaremos al Pla de Sant Miquel (855 m), donde se encuentran tres caminos. Hay que dejar de lado los dos de la izquierda, el primero baja directamente hacia Collbató por Les Feixades; el otro, más llano, llega también a Collbató por Les Bateries.

Tomaremos el que sube a la derecha, cubierto con cemento, llamado camino de las Ermitas, que nos conducirá hasta Sant Joan. Una vez allí, si nos ceñimos al horario, tendremos ocasión de bajar con el funicular, que nos dejará al inicio del presente itinerario. Para más información, consúltese el itinerario VI.

Dos breves paseos

1. **La plaza de los Apóstoles.** (45 minutos)
2. **El camino de los Degotalls o del Magníficat.** (45 minutos)

Este itinerario, justo al lado del monasterio, se puede hacer total o parcialmente, y para comenzarlo se puede incluso usar el trenecito gratuito que se puede coger al lado de la entrada de la estación del cremallera. Se trata de un itinerario interesante por el paisaje, por las mayólicas y por los monumentos a catalanes ilustres.

La plaza de los Apóstoles

Desde la plaza del Abat Oliba bajamos por la subida de los Roures hasta la plaza de la Creu. Dejamos la estación del cremallera a la derecha y continuamos el paseo de l'Escolania, protegidos bajo la larga marquesina, a cuyo final encontraremos un edificio —construido según el proyecto (1975) del arquitecto P. Pere Busquets— que contiene varios servicios de restauración. Antes de llegar allí, durante la mañana, veremos al lado de la basílica un mercadillo, muy típico y con mucha tradición: son las campesinas (*pageses*) de Marganell, un pueblo cercano, que cada día suben a Montserrat para vender los productos ali-

mentarios que elaboran. Los más renombrados son la miel y el requesón.

Al llegar al final del paseo de l'Escolania, subimos a las terrazas del edificio citado anteriormente. Mirando hacia la dirección desde la que hemos llegado, reconoceremos la imagen típica de Montserrat: en primer término la austera basílica del siglo XVI, rodeada por edificios de varias épocas, correspondientes a la Escolanía y al monasterio; al fondo, los alojamientos para los peregrinos, y como telón de fondo, los picos más conocidos de la montaña de Montserrat: la Gorra Frígia (1152 m) y las Magdalenes,

que dominan el frondoso torrente de Santa María, que se precipita hasta el río Llobregat.

Desde las mismas terrazas, pero situándonos hacia el precipicio, admiramos uno de los perfiles de la montaña, con dos de sus lugares más populares: enfrente distinguimos la capilla de Sant Miquel y la cruz del mismo nombre, situada al límite del despeñadero que cae verticalmente unos doscientos metros; debajo de ellas vemos un camino que bordea la montaña y conduce hacia otra capilla, la Santa Cueva. Para más información sobre ambas capillas, véanse los itinerarios III y V.

Al salir de las terrazas, encontramos a su lado un curioso elemento arquitectónico que se encuentra en el centro de una plazoleta. Si nos acercamos, observamos detenidamente unas aberturas separadas por columnas, parecidas a los ábsides neorrománicos (1876-1885) de la iglesia (s. XVI). En realidad, se trata de un elemento arquitectónico que corresponde a lo que fue el tercer piso del ábside central de la iglesia, que terminaba exteriormente con un triforio o galería cuya altura era proporcionada al volumen de la iglesia de aquel momento. En 1992, durante las obras de restauración del templo, que consistieron especialmente en devolverle la volumetría originaria del siglo XVI, dicha galería fue trasladada al lugar donde se encuentra actualmente. Bajo la plazoleta redonda en la que nos encontramos hay una capilla funeraria (1958) que contiene los restos de los miembros del Tercio de Requetés de Nuestra Señora de Montserrat que murie-

ron durante la Guerra Civil (1936-1939). Su proyecto y decoración pertenecen respectivamente al P. Pere Busquets y al P. Crisòleg Picas. Algo más abajo, al lado del precipicio, se levanta un monumento dedicado a Ramón Llull (1232-1316), místico y escritor catalán de Mallorca, que representa la Escalera del Entendimiento, aludiendo a su obra filosófico-teológica. El proyecto del monumento (1976) fue realizado por el artista Josep M. Subirachs.

Todo el entorno se denomina plaza de los Apóstoles en recuerdo de una capilla que fue edificada en el siglo XVI en memoria de los santos Apóstoles. Medio destruida durante la guerra de la Independencia, fue reedificada en 1858 y restaurada en 1907. A principios de la Guerra Civil (1936) fue derruida y se ajardinó todo el conjunto. El 7 de octubre de 1939, el abad Marcet colocó en aquel lugar la primera piedra de la capilla funeraria, cuya construcción no empezó hasta 1958. A pesar de tantas vicisitudes, el nom-

bre de «los Apóstoles» ha llegado hasta nuestros días. Gran parte de la plaza sirve actualmente de aparcamiento.

El camino de los Degotalls o del Magníficat

Después de cruzar la plaza de los Apóstoles, tenemos que situarnos en la acera izquierda de la carretera delimitada por un gran muro de piedra, en cuyo centro sobresalen dos esculturas (1960) que representan a san Benito y santa Escolástica, obra de la inconfundible mano de Jaume Clavell i Nogueras (1914-1977). Avancemos aún algunos metros en di-

rección a la salida de Montserrat. Pronto veremos a la derecha un monolito rematado por una cruz, llamado Pax vobis («La paz esté con vosotros»), según el proyecto (1960) del P. Pere Busquets —que indica el lugar donde antiguamente empezaba el recinto del santuario—, y a la izquierda un letrero: «Els Degotalls - Camí del Magníficat». Siguiendo una rampa que sube a la izquierda, encontramos el camino adecuado. Antes de iniciarlo, subimos algunos metros hasta encontrar la escultura de bronce que en 1931 erigió el Centro Social de Betlem (Barcelona) en memoria de Mn. Jacint Verdaguer (1845-1902), poeta que, entre otras obras dedicadas a Montserrat, compuso la letra del popular *Virolai*. La escultura es obra de Carles Flotats (1880-1950). La escultura no fue situada en el emplazamiento actual hasta 1953, cuando se inició el camino de los Artistes en la primera parte del camino de los Degotalls. Retrocedamos unos metros y tomemos el camino de los Degotalls (indicador), en el cual iremos encontrando otros monumentos, estelas y medallones, que se han ido colocando en memoria de algunos hombres ilustres de Cataluña. El primero es un monumento al escritor Joan Maragall (1860-1911), erigido por la Agrupació Amics de Joan Maragall, el 5 de julio de 1958, de acuerdo con el proyecto de Frederic Marés (1893-1991). Inmediatamente después vemos, clavada en la roca, una placa de bronce en memoria del tenor Emili Vendrell (1893-1962), colocada con motivo del centenario de su nacimiento, obra del orfebre Joaquim Capdevila (1944). Algo más allá encontramos el monumento a Pep Ventura (1817-1875), compositor, entre otras obras musicales, de algunos centenares de sardanas. Cada año, la ciudad «pubilla» de la sardana pone en él su clavo conmemorativo. El proyecto es debido a Josep Mainar (1899-1996) y Alexandre Cirici Pellicer (1914-1983) y se realizó con la intervención de los escultores Rafael Solanic, autor del medallón, y Charles Collet, del bajo relieve. Medio escondido entre los árboles, clavado en la roca, se encuentra un medallón de bronce dedicado a Pompeu Fabra (1868-1948), principal artífice de la normalización de la lengua catalana, en el centenario de su nacimiento. También veremos un medallón dedicado a Xavier Fábregas, crítico teatral, y un monumento a Josep M. Folch i Torres, escritor, del escultor Francesc Fajula (1998). Entre dos fuentes dedicadas a san Benito y a santa Escolástica se halla el monumento al músico Anselm Clavé (1824-1874), proyectado por Ferran Serra i Sala (1905-1988) en 1955. Además, encontraremos un gran panel de mayólica con la Visita espiritual a la Virgen de Montserrat, escrita por Josep Torras i Bages, obispo de Vic.

Al cabo de unos cinco minutos podremos admirar una magnífica estela de piedra lisa con un único relieve, a manera de friso, de Joan Rebull (1899-1981), que el Orfeó Català quiso dedicar al maestro Lluís Millet, fundador de la entidad.

El camino continúa bordeando la montaña durante unos quince minutos; es llano y umbrío. En los sitios donde hay calveros contemplamos en primer término los pendientes de la montaña, cuya caída tiene unos doscientos metros de desnivel respecto al camino; al fondo, fuera de la montaña, se ve el Pla de Bages y, en días claros, al fondo, los Pirineos.

Después de la primera parte dedicada a los artistas, encontraremos unas sesenta populares y bellas mayólicas, excelente representación de las advocaciones que el pueblo catalán ha dado a la Virgen; en su mayoría son obra del ceramista Joan Guivernau (1909-2001).

La serie más antigua de la colección de mayólicas se encuentra aproximadamente en la parte central del camino; reproducen el texto del *Magníficat* o Cántico de María (Lc 1, 46-55). Al final del camino encontramos una plazoleta sin salida, a cuya izquierda se encuentran los Degotalls, una cueva ennegrecida por la humedad en la que antiguamente goteaba agua filtrada entre las rocas.

Los dos senderos que hemos encontrado a mano derecha al terminar el camino nos conducirían a la carretera de Can Maçana (véase itinerario VIII).

- **El camino del Rosario y la Santa Cueva.** (45 minutos)

Como casi todos los paseos que proponemos, el presente también se inicia en la plaza del Abat Oliba. Hay dos posibilidades. La primera es utilizar el funicular de la Santa Cueva, inaugurado en 1929, cuya estación se encuentra casi al principio del camino de Sant Miquel, sobre la estación del cremallera. El funicular nos dejará en la plaza en la que empieza el Rosario monumental; de esta manera nos habremos ahorrado el tramo de escaleras que puede presentar alguna dificultad para personas mayores. La segunda posibilidad es una excursión a pie, tal como describimos a continuación. El itinerario tiene un kilómetro y medio de recorrido. En ambos casos tendremos que informarnos de los horarios de apertura de la Santa Cueva y del regreso del funicular. En la oficina de información se facilitará gratuitamente un folleto explicativo de la Santa Cueva, que puede ser un buen complemento de la presente guía.

El camino del Rosario monumental

Desde la plaza del Abat Oliba nos dirigimos a la plaza de la Creu, bajando por la subida de los Roures. La atravesamos y, al extremo de la estación del cremallera, tomamos unas escaleras. Justo antes de bajarlas ya podemos ver el letrero «Santa Cova» (Santa Cueva). Bajamos un tramo corto de escaleras y pasamos junto a la vía del cremallera y por delante de la estación del aéreo de Montserrat, en servicio desde el año 1930. Continuamos bajando por las anchas escaleras hasta encontrar la plaza en la que se inicia el Rosario monumental. A media bajada habremos encon-

trado la escultura de san Domingo, de
Josep M. Subirachs, colocada en 1970.
En la plaza se hallan la estación inferior
del funicular y una fuente. Si al regreso
deseamos ahorrarnos las escaleras, podemos utilizarlo, siempre que esté en
funcionamiento.

Hay que tener en cuenta las dificultades, el tiempo y los costes económi-
cos que tuvieron que afrontar nuestros
antepasados para construir tan agradable camino. Las obras se iniciaron en
1693 y tenían que quedar listas un año
más tarde, pero surgieron graves problemas de construcción, entre otros a
la hora de salvar el fuerte desnivel que
presenta la montaña, y hubo que ba-
rrenar muchas rocas, construir puen-
tes en los torrentes y edificar paredes
y taludes. No es de extrañar, pues, que
la obra no quedase totalmente conclui-
da hasta 1704.

El recorrido, que nos sorprende a
cada curva con una nueva panorámica,
está embellecido con los quince grupos escultóricos correspondientes a los
misterios del rosario, distribuidos en el
tramo de camino que empieza en la
plaza del funicular y termina en la propia capilla de la Santa Cueva.

Con la aportación económica de
asociaciones, instituciones y familias, se

unos 400 m, el camino cambia de dirección, es más fácil y más alegre y nos conduce en una subida sostenida a la capilla de la Santa Cueva (605 m), que más arriba se nos aparecerá cerca.

El Rosario monumental del camino de la Santa Cueva puede prepararnos espiritualmente para su visita. El rosario, práctica devocional nacida en el siglo XII nos hace contemplar los quince episodios o misterios de la vida, pasión, muerte y resurrección de Jesús, en los que María, su madre, estuvo presente. Después de cada misterio se reza un padrenuestro y diez avemarías, terminadas con un gloria patri. Esta práctica popular de devoción mariana puede ser sustituida por la lectura de algunos fragmentos del Evangelio de Lucas que narran la vida de Jesús.

inició el Rosario monumental en 1986 y se concluyó en 1910. En su construcción intervinieron varios arquitectos, escultores y artesanos; por ello cada grupo escultórico posee su propio estilo. Con todo, la intervención decisiva de arquitectos como Josep Puig i Cadafalch o Antoni Gaudí y de escultores como Josep Llimona o los hermanos Vallmitjana, permitió darle una cierta unidad, gracias a la cual puede ser considerado como el conjunto arquitectónico monumental al aire libre más importante del modernismo catalán. En 1983 hubo que renovar el segundo misterio de gozo, la Visitación; el nuevo grupo escultórico, de bronce, se encargó a Manuel Cusachs.

Al llegar al quinto misterio de dolor, la Crucifixión de Jesús —que reconoceremos por la magnífica cruz modernista de bronce (1896), proyectada por el arquitecto Josep Puig i Cadafalch—, que se alza desafiando los pendientes de la montaña, que aquí tienen un desnivel de

La Santa Cueva

Delante de la Santa Cueva se halla una fuente en una plazoleta cercada por una reja, donde podemos descansar y, leyendo el comentario que tenemos a mano, conocer los orígenes de ese lugar venerado a lo largo de los siglos por tantos peregrinos.

La leyenda del hallazgo de la Virgen

La narración de la leyenda —cuyo texto más antiguo pertenece a 1239— nos dice que el año 880, un sábado, cuando ya oscurecía, unos niños pastores vieron bajar del cielo una gran luz, acompañada de una bella melodía, que se paraba a media montaña. Al cabo de una semana volvieron al lugar juntamente con sus padres y la visión se repitió. Durante los cuatro sábados siguientes los acompañó el párroco del pueblo de Olesa y todos constataron la mencionada visión. El obispo de la ciudad de Manresa, enterado del acontecimiento, quiso observarlo personalmente, igualmente en sábado. Él y sus acompañantes vieron una cueva en la que encontraron la imagen de Santa María. Intentaron trasladarla procesionalmente a la ciudad de Manresa, pero fue inútil, lo que les hizo comprender la voluntad divina: aquella imagen tenía que ser venerada en la montaña de Montserrat.

Formulado con un lenguaje popular y legendario o con la certeza y precisión de un historiador, lo cierto es que el presente lugar ha sido santificado desde

hace muchos siglos por la presencia de la imagen de Santa María y por la peregrinación de millares y millares de hombres y mujeres que con gran devoción han acudido a orar a Santa María para que interceda por todos. De esta manera se convierte nuevamente en realidad en Montserrat el anuncio evangélico que María expresó en el Magníficat: «Proclama mi alma la grandeza del Se-

ñor, se alegra mi espíritu en Dios mi salvador, porque ha mirado la humillación de su esclava. Desde ahora me felicitarán todas las generaciones, porque el Todopoderoso ha hecho obras grandes por mí» (Lc 1, 46-49). Todos podemos cantar, juntamente con María y gracias a ella, que Dios ha mirado nuestra pequeñez, que nos ama y nos salva. Esta es la gran luz, guía para nuestra vida, que encontramos en ese lugar y que se nos manifiesta.

La capilla de la Santa Cueva

La primera agradable sorpresa que tenemos al acercarnos a la Santa Cueva es constatar su extrema belleza, fruto de una simbiosis delicadamente equilibrada entre naturaleza y arquitectura. No se sabe dónde empieza una y termina otra. Sin querer caer en exageraciones, también nosotros, como los pastores al ver la luz, quedamos cautivados al contemplar el conjunto.

La construcción de la capilla se remonta a fines del siglo XVII y principios del XVIII (1696-1705). Aún en el exterior, debemos fijar la atención en los espléndidos muros de sostén, de gran dimensión vertical, generados por la situación del edificio respecto al gran pendiente de la montaña.

Al entrar, guardando el silencio y respeto que merece el lugar, encontramos una capilla de planta de cruz que se abriga en uno de sus brazos bajo una cueva de la montaña, que es el de la Santa Cueva original. En el mismo lugar, a mano derecha sobre el altar, hay una reproducción, obra del escultor Ricart, de la sagrada imagen, venerada en la basílica. Venerémosla también y hagamos un momento de silencio.

Dispuestos a visitar la capilla, nos fijaremos en que, en el punto de sime-

tría central, se encuentra una cúpula semiesférica en la que hay una entrada de luz por una linterna. Esa capilla principal tiene adosada una construcción de tres crujías alrededor de un pequeño claustro, en la que se encuentran la sala de exvotos, la sacristía, la sala para los peregrinos y la vivienda del monje encargado de acoger a los peregrinos, y un jardín que había sido huerto. Algunos de dichos lugares pueden ser visitados.

Con motivo de los hechos acaecidos en Montserrat durante la guerra de la Independencia (1811-1812), el edificio de la Cueva sufrió graves daños, como el monasterio y el santuario. A partir de los muros principales que habían quedado en pie, el arquitecto Francisco de Paula Villar y Lozano trazó un proyecto (1857) de restauración siguiendo a grandes rasgos lo que definía la arquitectura del edificio, pero con la aportación de nuevos elementos arquitectónicos. Las obras se iniciaron en octubre de 1858 y duraron hasta diciembre de 1859.

La historia moderna de la Santa Cueva ha tenido varios acontecimientos de relieve. Indicaremos únicamente el más importante desde el punto de vista arquitectónico. El día 4 de julio de 1994 un incendio forestal destruyó las cubiertas de los locales adyacentes a la capilla y al claustro, y su hundimiento perjudicó los pavimentos, los muebles y las aperturas, que también resultaron quemadas. Las fuertes lluvias del siguiente otoño ocasionaron, debido a la falta de apoyo vegetal causada por los incendios, una caída masiva de piedras y gravas sobre el recinto de la Santa Cueva y su camino de acceso. Por razones de seguridad hubo que cerrar tanto la Santa Cueva como el camino. Inmediatamente se encargó el proyecto de restauración (1995) al arquitecto Arcadi Pla i Masmiquel, y las obras se iniciaron durante el otoño de aquel año. Una nueva circunstancia agravó la situación: un fuerte aguacero caído el 5 de septiembre de 1995 desplazó la linterna de la cúpula de la capilla, cuya base debió quedar afectada por los incendios del año anterior, y cayó sobre la propia cúpula, que se hundió totalmente y perjudicó al resto de las cubiertas. Se encargó al mismo arquitecto un segundo proyecto, terminado en mayo de 1996.

La inauguración de la restauración total de la Santa Cueva tuvo lugar el 19 de marzo de 1997; así quedó nuevamente abierta para los numerosos peregrinos de Santa María.

Sant Joan y las ermitas de la montaña

- **Sant Joan y las ermitas de la montaña.** (1 hora)

Parece ser que hay fundamento para creer que los primeros que se encargaron de la capilla de Santa María, antes de la fundación del monasterio (1025), fueron unos ermitaños. Con la venida a Montserrat de los monjes del monasterio de Ripoll, la vida eremítica no solo no desapareció, sino que se consolidó. Los ermitaños formaban parte de la comunidad de monjes que vivían en el monasterio y estaban igualmente sujetos a los priores y abades de Montserrat. Una prueba, entre otras, de ese estrecho vínculo espiritual y jurídico son las Constituciones y normas de vida para el perfeccionamiento espiritual de los ermitaños escritas por el abad García de Cisneros (1455-1510), observadas desde fines del siglo xv hasta principios del xix, lo que permitió que durante siglos la vida eremítica fuese próspera en la montaña de Montserrat y que la fama de sus ermitaños se propagase por todas partes, especialmente debido a su vida ejemplar.

Ese estilo de vida sufrió gravemente las consecuencias de la guerra de la Independencia (1808-1814), durante la cual algunos ermitaños fueron asesinados y las ermitas, como el propio monasterio, fueron semidestruidas o quedaron abandonadas, algunas para siempre.

El número creciente de vocaciones de monjes ermitaños comportó también por parte del monasterio la organización material de ese estilo de vida. En la parte alta de la montaña, y situadas estratégicamente, se construyeron trece ermitas, con sus respectivos caminos, situadas en hermosos parajes.

Actualmente la mayoría están en ruinas, mudos testimonios de una institución única en la historia; en algún caso se edificó una capilla en el mismo lugar en el que había estado situada una ermita. De todas se ha conservado el topónimo, que corresponde a nombres de santos. Todo invita a dar un paseo por ellas, que se convierte en auténtica excursión en los lugares más escarpados. Actualmente, con algunas excepciones, las ermitas y los ermitaños han desaparecido, pero continúan existiendo los parajes y los paisajes, las rocas y los bosques que preservaban la soledad hecha oración de aquellos hombres. También hoy podemos gustar aquella soledad.

En los dos itinerarios siguientes nos proponemos visitar dos antiguas ermitas en las que a fines del siglo XIX se construyeron las correspondientes capillas: Sant Joan y Sant Jeroni. Al encontrarnos en Sant Joan o durante el camino que conduce a Sant Jeroni señalaremos el emplazamiento de otras.

A Sant Joan con el funicular

Situémonos en la plaza del Abat Oliba (710 m), lugar donde hemos iniciado los demás itinerarios. Para subir a Sant Joan (976 m) tenemos tres alternativas. Empecemos indicando la que recomendamos: llegar a Sant Joan por medio del funicular. Las demás no comportan ninguna dificultad; sencillamente, necesitan más tiempo.

La estación inferior del funicular de Sant Joan se encuentra a mano derecha del principio del camino de Sant Miquel, que se inicia en la misma plaza. El funicular fue construido en 1917 en el centro del torrente de los Avellaners, y en siete minutos sube hasta la estación superior. Sus vehículos han sido diseñados con la intención de que las vistas panorámicas estén al alcance de todos los viajeros.

Al llegar a la cima encontraremos una plazoleta llamada Pla de les Taràntules (976 m), desde la que se pueden

dar algunos paseos. El más significativo es el que conduce hasta la capilla de Sant Joan (20 minutos).

Antes de iniciar el camino se recomienda visitar «Aula de la Natura», la exposición que está en el mismo edificio de la estación del funicular, en la planta superior, dedicada a explicar algunos aspectos de la geología, la flora, la fauna, la prehistoria de la montaña de Montserrat, así como de la historia del monasterio y del santuario.

En el mismo edificio se encuentra una terraza desde la que se puede disfrutar de una espléndida vista del conjunto del recinto del monasterio, situado en el corazón de la montaña, protegido de los vientos del norte pero abierto al sol cálido de levante.

La capilla de Sant Joan

Tomamos el camino que empieza en el Pla de les Taràntules, enfrente de la estación del funicular, y va bordeando, subiendo suavemente, la amplia cabecera del torrente Fondo, algunos de cuyos parajes son inaccesibles y constituyen una de tantas reservas vegetales de la montaña. Desgraciadamente, un incendio (1994) destruyó la masa forestal de la zona. La belleza del torrente puede cautivarnos por su súbita profundidad, por los varios relieves y formas y por el cromatismo de las rocas con la vegetación.

Siguiendo plácidamente el paseo, al cabo de unos minutos se ve a lo lejos la capilla de Sant Joan (1025 m), elevada encima de un pico al lado del camino. Una vez allí constataremos que se trata de una capilla de construcción relativamente moderna (1893) y sin demasiado interés artístico. Pero si miramos hacia las rocas que tenemos a la derecha veremos los restos de unas construcciones que sí pueden interesarnos.

Delante nuestro, como colgadas encima de la roca, tenemos dos pequeñas construcciones edificadas aprovechando una cueva. Son las antiguas ermitas de Sant Joan y de Sant Onofre, situadas en un lugar insólito y solitario, que aún hoy nos produce admiración. Se conoce que, en siglos pasados, también eran valoradas por su situación excepcional. La ermita de Sant Joan —cuyo nombre se ha convertido en el topónimo de la zona— fue escogida por algunos abades del monasterio de Montserrat para pasar los últimos años de su vida. Entre muchos otros visitantes, sabemos que el 10 de julio de 1599 estuvo en ella el rey Felipe III. En la ermita de Sant Onofre, que tiene un panorama espléndido, pasaba largas temporadas el abad García de Cisneros (s. XV-XVI).

Desde donde nos encontramos, debajo de la capilla de Sant Joan y siguiendo un estrecho camino que baja serpenteando, encontraríamos pronto la ermita de Santa Caterina, gran parte de la cual está constituida por la gruta de una gran roca. Actualmente la vegetación ha llegado casi hasta su umbral y acentúa el aislamiento que en tiempos pasados también la hizo famosa. Se decía que los visitantes más numerosos que recibía el monje ermitaño eran los pájaros.

A pesar de la vida solitaria de esos monjes sabemos, por las crónicas, que recibían visitas. A menudo eran los propios peregrinos quienes, al llegar al santuario de Montserrat y después de haber descansado, querían establecer contacto con aquellos hombres de Dios. Los ermitaños los escuchaban y les daban consejos, pero lo que más ayudaba a los peregrinos era el punto de referencia sólido que, con su paz y su convicción, les ofrecían las vidas de esos monjes ermitaños dedicados a la oración, a la penitencia y al trabajo.

Precisamente una de sus ocupaciones era, además de cuidar el huerto y

dedicarse al estudio, esculpir la madera de boj. De un pedazo de tronco de boj, cuya madera es dura y compacta, se fabricaban cucharas, vasos, cuencos, rosarios, cruces... Las cruces de boj de los ermitaños de Montserrat son famosas y se distinguen por los símbolos tradicionales relacionados con la pasión y muerte de Jesús que grababan en ellas, además del escudo de Montserrat. Los visitantes se las llevaban como prenda de la vida serena y coherente que habían compartido y que, a partir de entonces, sería un recuerdo, un reto para su vida.

Si vamos avanzando aún por el camino de Sant Joan llegaremos a la gruta donde se encontraban las ermitas de Sant Joan y Sant Onofre. Podemos recorrer toda la gruta y salir por el extremo opuesto, por una estrechísima cornisa protegida con una barandilla. Desde allí podemos bajar por una escalera vertical e irregular hasta reanudar el camino de Sant Joan que hemos hecho antes.

Por el mismo camino de ida podemos volver al Pla de les Taràntules, a la estación superior del funicular de Sant Joan. Allí tenemos varias alternativas.

La primera es volver directamente al monasterio y santuario tomando el funicular. La segunda, si tenemos tiempo, es volver al santuario por el camino de las Ermitas, que nos llevará al camino de Sant Miquel (véase el itinerario III), que se encuentra, una vez situados de cara a la estación, a la derecha del Pla de les Taràntules. Se trata de un camino ancho, hormigonado, que en poco rato nos permite conocer aquella parte de la montaña, caracterizada por la falta de accidentes orográficos —no existe en ella ningún pico—, pero siempre insólita a los ojos de quienes la contemplan por primera vez. Cuando el camino se encuentra encima de la estación superior del funicular de Sant Joan, en la cota 999, tenemos una excelente visión sobre la parte occidental de la montaña: Sant Jeroni (1236 m), el Montgròs y, más cerca, la Gorra Marinera, Sant Salvador... El recorrido tiene algo más de tres kilómetros hasta el monasterio. La tercera posibilidad consiste en tomar el camino que conduce hasta Sant Jeroni, para recorrerlo parcialmente o por completo, llegando así a la cumbre más alta de Montserrat (véase itinerario VII).

A Sant Joan por la escalera de los Pobres

Al describir el itinerario que nos lleva a Sant Joan ya comentábamos que, además de utilizar el funicular, había otras dos alternativas, es decir, la escalera de los Pobres o el camino de Sant Miquel.

Describimos muy someramente la opción de subida por la escalera de los Pobres, puesto que, para algunas personas, recorrer dicho camino equivaldría a una excursión, lo que no constituye la intención de la presente guía.

La escalera de los Pobres —su nombre procede del hecho que, en siglos pasados, cerca del lugar había una casa en la que eran acogidos los pobres y vagabundos— se encuentra después de subir las escaleras que se encuentran a la izquierda de la fuente de la plaza del Abat Oliba. Arriba del todo encontraremos dos caminos señalizados. El de la izquierda nos conduciría al Viacrucis (ver itinerario III). El de la derecha es el camino que debemos seguir (GR 4 y 172). Bordeando el torrente de Santa María, sube a medida que vamos ascendiendo la escalera de los Pobres. Al terminar los escalones encontraremos un cruce de senderos y un indicador. Al pie de unas grutas dejamos el GR 4 y 172 y seguimos por el camino de la izquierda, que desciende ligeramente. Pasamos entre las ruinas de la ermita de Santa Anna, atravesamos el torrente de Santa María y volvemos a subir. A lo largo de la subida encontraremos tres cruces de caminos más; para dirigirnos a Sant Joan, deberemos siempre seguir el camino que tenemos a mano izquierda.

Otra opción que nos ofrece el presente camino es que, al llegar al segundo cruce de senderos, sigamos por el de la derecha. Iremos subiendo, bordearemos por la base una gran roca, la Panxa del Bisbe, y nos conducirá al fondo del torrente: el Pla dels Ocells (930 m). Aquí, tomaremos el camino de la izquierda, que nos conducirá, atravesando un portillo al pie de la solitaria roca llamada Trencabarrals, al camino de Sant Joan.

A Sant Joan por el camino de Sant Miquel

La última alternativa es ir a Sant Joan por el camino de Sant Miquel, recorrido ya descrito en el itinerario III de la presente guía. Se trata de un hermoso paseo, que no presenta dificultades, pero que exige su tiempo (1 hora y 15 minutos). Si tuviésemos que recomendarlo, lo haríamos tal como se ha descrito más arriba. Subir primero a Sant Joan en funicular y después bajar a pie por el camino de las Ermitas, que conduce al camino de Sant Miquel, el cual nos lleva finalmente a la plaza del Abat Oliba (50 minutos).

Sant Jeroni, el pico más elevado de la montaña

- **El camino de Sant Joan a Sant Jeroni.** (1 hora)

Aunque nos propongamos subir al pico más elevado de la montaña de Montserrat (1236 m), no se trata de llevar a cabo ninguna proeza. Al contrario, desde Sant Joan, y habiendo realizado la subida más fuerte con el funicular, a excepción de algún momento, el camino es llano y únicamente los diez últimos minutos obligan a subir algo más.

Rocas relevantes

Seguimos el camino, siempre a la izquierda. Después de la primera curva se nos aparece la cuenca del torrente de Santa María, coronada por grandes rocas cada una de las cuales posee el nombre que la imaginación popular le ha dado según lo que suscitaba la morfología. Así, por ejemplo, al otro lado del torrente, de derecha a izquierda, podemos distinguir o imaginarnos las rocas que son conocidas por los siguientes nombres: la *Momieta*, la *Momia*, el *Gato*, el *Elefante*..., y el pico más alto, Sant Salvador (1152 m), cuyo nombre procede de la ermita que se agarra a la propia roca, mencionada ya en documentos del siglo XIII.

Algunas ermitas

Si bajamos la vista unos cien metros más abajo, veremos entre las encinas la capilla de Sant Benet, construida en 1927 sobre las ruinas de la antigua ermita del mismo nombre. Era la más moderna de las ermitas, puesto que la mandó construir el abad Pedro de Burgos en 1536. El conjunto que se nos presenta a la vis-

ta —las rocas y bosquecillos entre los que se ve la capilla de Sant Benet— es uno de los más idílicos y sugeridores de la paz que durante siglos se vivió en esta región dedicada a la vida eremítica.

Unos metros más adelante vemos, al extremo derecho de la cresta que tenemos enfrente, la ermita de Sant Dimes, habitada ya en el siglo XV. A la izquierda se encuentra la de la Santa Creu, resguardada casi por completo en una gruta y situada encima del monasterio. Se llega a ella por una escalera interior de unos seiscientos escalones, en su mayoría abiertos en la roca en 1499, que suben rectos montaña arriba.

Sobre la ermita de la Santa Creu observamos el Pla de la Trinitat, donde se encuentran las ruinas de la ermita de la Santísima Trinidad. A fines del siglo XV fue restaurada por el famoso P. Bernardo Boíl, que más tarde acompañó a Cristóbal Colón en su segundo viaje a América (1493), con el título, concedido por el papa Alejandro VI, de primer vicario apostólico de las Indias Occidentales. En 1625 el abad Beda Pi la ensanchó aún más y se convirtió en la mayor de las ermitas.

Continuó habitada hasta poco después de la destrucción de Montserrat por los franceses (1811-1812). El 24 de abril de 1822 el P. Gaspar Soler fue asesinado y arrojado a la cisterna de la ermita por unos bandoleros. Entonces los superiores decidieron no permitir que los cuatro ermitaños que aún vivían en la montaña continuasen llevando vida solitaria. Así terminó la institución de la vida eremítica en Montserrat, que durante siglos lo había enriquecido tanto espiritualmente.

Ahora podemos adentrarnos, siguiendo el camino, en el encinar, que nos dará sombra hasta llegar al pie de los cuatro picos tan característicos de Montserrat, que figuran en todas las fotografías de la montaña hechas desde la plaza de Santa María. Sus nombres, de derecha a izquierda, son los siguientes:

Gorra Frígia (1152 m), Magdalena Superior, Magdalena Inferior, Gorra Marinera. En la Magdalena Inferior se encuentran las ruinas de la ermita de Santa Magdalena (s. xv), que no vemos, pero la más pintoresca es la ermita de Sant Jaume, que podemos ver aún hoy a media altura de la Gorra Marinera. Los respectivos ermitaños debían de disfrutar de una magnífica vista sobre el monasterio, pero en invierno no podían ahorrarse el aire frío que sopla entre las rocas.

La vegetación de la montaña

El camino sigue bordeando el torrente de Santa María. En ciertos momentos podemos contemplar el Cavall Bernat y, al fondo, Sant Jeroni. En un momento determinado el camino atraviesa el torrente y a continuación iniciamos un tramo de escaleras que nos va alejando suavemente, aunque pronto volvemos a él. Podemos pararnos unos momentos para respirar a fondo y descansar y para admirar el paisaje que hemos recorrido sin darnos cuenta. No tendremos que alargar demasiado la vista para observar una de tantas maravillas de la naturaleza: a nuestras espaldas se yerguen unas magníficas rocas, en una de las cuales vemos un esbelto y vigoroso pino. Se trata de un conjunto que solo pensaríamos encontrar en una pintura o un grabado exótico o imaginario.

De nuevo en el torrente constataremos que ya no lo bordeamos, sino que discurrimos por su centro. Afortunadamente, los torrentes de la montaña de Montserrat solo llevan agua cuando llueve; entonces pueden llegar a ser peligrosos. Observamos el antiguo ca-

la salida de Sant Joan habremos constatado dos cosas importantes. En primer lugar que, debido a la altitud en que vive, entre 700 y 1000 m, corresponde a lo que los botánicos denominan encinar con boj (ass. *Viburno-Quercetum* subass. *viburnetosum lantanae*), acompañado de una docena de especies, árboles caducifolios, arbustos e hierbas, y se diferencia del encinar con sauquillo (ass. *Viburno-Quercetum* subass. *pistacietosum*), con arbustos termófilos, que encontramos en los paseos alrededor del santuario. Un segundo hecho que cabe destacar es que esas encinas no son árboles centenarios, como correspondería. Hay que tener en cuenta que hasta principios del siglo XX la montaña de Montserrat, como la mayoría de bosques de nuestras comarcas, estaba sometida a una tala periódica para conseguir haces de leña o carbón de encina que alimentaban los hogares domésticos, los hornos de los talleres y las pequeñas industrias de las ciudades y villas de Cataluña.

mino al lado mismo del lecho del torrente que vamos recorriendo. La subida se hace a gusto, bajo las encinas que dan sombra al camino, que nos conducirá hasta la propia entrada de la capilla de Sant Jeroni. Si nos hemos fijado en el encinar que nos ha acompañado desde

La capilla de Sant Jeroni

La capilla de Sant Jeroni (1130 m), que hemos encontrado casi de repente al final de una subida erosionada por las lluvias, fue construida en 1891. A su derecha se construyó (1997) un cobertizo que ofrece refugio a los que se encuentran, tal vez de manera inesperada, con una tempestad. Es más prudente, en tales casos, resguardarse en él que empezar a bajar torrente abajo. La ermita de Sant Jeroni no se encontraba en el emplazamiento de la capilla actual, sino algo más arriba. Delante de la propia ermita empiezan dos caminos. El de la derecha conduce a la torre que el Centro de Telecomunicaciones de la Generalitat de Catalunya ha construido (1996) para unificar la treintena de antenas que se encontraban dispersas en aquellos parajes, y limpiar de esta manera la cúspide adecuando convenientemente el sistema de telecomunicaciones en ese lugar privilegiado. El camino de la izquierda conduce al pico más alto de Montserrat, llamado igualmente Sant Jeroni (1236 m).

Caminando hacia el pico de Sant Jeroni

Tomamos, pues, el camino de la izquierda, que sube sostenidamente hasta la cumbre, visible prácticamente desde el principio. Pasaremos por un lugar en el que se intuye que habían existido unas construcciones; ahora solo podemos observar la cisterna de un antiguo restaurante. Antiguamente se encontraba allí la primitiva ermita de Sant Jeroni, re-

construida en 1590 y destruida de nuevo en 1811. A mano izquierda, encima de una roca, se halla un mirador, construido en 1956, con una placa que los excursionistas catalanes habían ofrecido pocos años antes en homenaje al poeta catalán Mn. Jacint Verdaguer (1845-1902) con motivo del 50 aniversario de su muerte.

A medida que vamos subiendo, por tramos de escaleras con barandilla metálica, podemos constatar el cambio brusco de la vegetación respecto, por ejemplo, a la que encontramos en los alrededores de la capilla. Nos hallamos ante una nueva comunidad vegetal, la del encinar de montaña (ass. *Asplenio-Quercetum*), que vive en las zonas montañosas elevadas, entre 700 y 1200 m, pero poco inclinadas. El agua de lluvia puede infiltrarse con facilidad en el suelo y produce una descalcificación sensible del sustrato, lo que permite la presencia de algunas plantas amantes de los suelos ácidos que diferencian ese encinar de los demás. Por otro lado, la poca profundidad del suelo y la exposición continua al viento motivan que la encina y

los demás arbustos que la acompañan sean pequeños y escasos; en cambio, las hierbas más pequeñas, como el té del país (*Veronica officinalis*), la consuelda de montaña (*Prunella grandiflora* ssp. *pyrenaica*), la fresa (*Fragaria vesca*), la betónica (*Stachys officinalis*), la vara de oro (*Solidago virgaurea*), tienen una importancia considerable.

Mientras observamos la vegetación hemos llegado a la cumbre más elevada de la montaña de Montserrat: Sant Jeroni (1236 m). Al pararnos, lo primero que constatamos es el airecillo frío, o el viento. Nos encontramos en la cúspide de una roca, de extensión muy reducida, pero protegida por una fuerte barandilla de hierro. En un extremo de la diminuta plazoleta, sobre un pilar de un metro de altura, vemos una gran rosa de los vientos de acero inoxidable, colocada el 13 de junio de 1986 por el Centre Excursionista del Bages, gracias a la que podemos orientarnos y conocer lo que divisamos en el horizonte, puesto que nos indica el nombre de los lugares más relevantes que se alcanzan a ver en días normalmente claros.

La vista desde el pico de Sant Jeroni

Ahora nos damos cuenta de que la montaña de Montserrat es privilegiada incluso geográficamente. Se eleva bruscamente mil metros respecto a la llanura que la rodea y, aunque no es demasiado elevada, eso le permite tener en su punto culminante un mirador, libre de todo obstáculo inmediato, con una espléndida vista de 360°. Al norte se divisan los Pirineos; al oeste, el Montsec y el Altiplano Central; al sur, el Penedès y el mar Mediterráneo, donde en días muy claros se llega a ver la isla de Mallorca; al este, el Montseny, Sant Llorenç del Munt, el Vallès y Collserola. Al haber contemplado el vasto horizonte, situándonos de espaldas al camino por donde hemos llegado, podemos observar el magnífico panorama que tenemos más cerca. A la derecha tenemos la amplia cuenca del torrente de Santa María, rodeada por picos y peñascos; ya conocemos algunos de sus nombres. Más próxima a nosotros se encuentra la torre de telecomunicaciones, de 45 metros de altura, construida (1996) sobre los cimientos de la antigua estación del funicular aéreo (1929), suprimida en 1986.

Acerquémonos ahora, sin miedo, a la barandilla que tenemos enfrente y que nos protege del abismo. Desde allí contemplamos, al mismo borde del precipicio, el espectáculo de los inmensos riscos que caen perpendicularmente unos seiscientos metros.

A nuestra izquierda, la cresta de peñascos se alarga hacia el oeste. En toda esa amplia zona, solitaria y agreste, viven las cabras salvajes (*Capra pyrenaica*). El conjunto de picos que vemos en primer término se denomina los Ecos.

Antes de marcharnos, volvamos a observar detenidamente los riscos verticales.

En las hendiduras y los agujeros de la roca vive una comunidad de plantas en roseta que producen unas flores sencillas pero de gran belleza. Las más significativas son la corona de reina (*Saxifraga callosa* ssp. *catalaunica*) y la oreja de oso (*Ramonda myconi*), perfectamente adaptadas a enraizar en las grietas de las rocas, donde difícilmente podrían sobrevivir la mayoría de plantas.

Indiquemos, finalmente, que en ese pico se encontraba antiguamente una capilla dedicada a la Virgen, llamada *Santa Maria la més alta* (Santa María más elevada), como expresando que desde la ermita más elevada Santa María protegía la montaña y toda la tierra que tiene encomendada. Se trata de una buena ocasión, pues, para una breve oración de acción de gracias por la naturaleza y por todas las cosas buenas y bellas que recibimos de Dios a lo largo de la vida.

La iglesia románica de Santa Cecilia

- **Paseo hacia Santa Cecilia.** (1 hora)

Desde la plaza del Abat Oliba, en la que hemos iniciado todos los itinerarios, hasta la iglesia de Santa Cecilia hay aproximadamente unos cuatro kilómetros, que podemos recorrer sin dificultad a pie o en coche. Tanto de un modo como de otro, tenemos que empezar el camino por la carretera de salida de Montserrat.

Si vamos a pie podemos tomar el camino de los Degotalls (itinerario IV). Seguimos este sendero (PR-C 19), marcado en amarillo y blanco, un buen trecho, hasta encontrar un camino que baja a la derecha por una puerta metálica. Indicador: «*Santa Cecília*». Nos conducirá, de bajada, directamente a la carretera. Bajo el camino, al lado opuesto de la carretera, se halla una plazoleta con árboles y bancos de piedra; ese paraje se denomina Sant Jaume el Blanc. Es un topónimo antiguo cuyo primer testimonio se remonta al año 1532. Hay que relacionarlo con el paso de los peregrinos que emprendían la ruta hacia Santiago de Compostela después de haberse encomendado a Santa María de Montserrat.

Una vez en la carretera de can Maçana, la seguimos por la izquierda, por la acera opuesta, desde donde podremos admirar los picos más altos de la montaña que se levantan a nuestra izquierda.

De pronto, en una curva, surge verticalísima la insólita y solitaria roca conocida con el nombre de Cavall Bernat (1103 m). Avanzando algo más, vemos que hemos dejado a nuestra espalda el conjunto de picos llamado los Flautats; enfrente nos aparece un nuevo risco, la pared de los Diables, con un techo en el medio, sobre la que se encuentra la ermita de Sant Antoni, que no vemos, y la torre de telecomunicaciones de Sant Jeroni (1200 m), que se yergue sobre el impresionante risco llamado pared de Sant Jeroni. El conjunto toma unas dimensiones gigantescas que nos impresionan, tal vez, no tanto por el desnivel imprevisto de seiscientos metros,

como especialmente porque los riscos se encuentran en una montaña y un entorno de altitudes relativamente modestas.

La carretera pasa por un breve túnel. Después de una ligera subida llegamos a Santa Cecilia (675 m). En primer lugar vemos, a la derecha, en medio de un grupo de cipreses de diferentes tipos, un edificio que solía usarse como refugio, donde pernoctaban especialmente escaladores. Desde hace unas décadas, la montaña de Montserrat se ha convertido en un punto de referencia importante en el mundo de la escalada.

El monasterio y la iglesia de Santa Cecilia

Unos metros más allá vemos los ábsides románicos de la iglesia de Santa Cecilia, con sus edificios anejos. La primera referencia histórica de Santa Cecilia se encuentra en una escritura del año 945, gracias a la cual sabemos que se fundó un monasterio en aquel lugar. Santa Cecilia es, pues, el primer punto de la montaña donde se observó vida religiosa en comunidad, aunque dicha comunidad nunca fue demasiado numerosa. En 1539 se unió definitivamente al monasterio de Montserrat.

La iglesia de Santa Cecilia, de tres naves de extensión desigual y tres ábsides con arcuaciones ciegas, es un magnífico ejemplar románico del siglo XI.

En 1811 fue saqueada y semidestruida por las tropas francesas. Parcialmente restaurada, volvió a abrirse al culto el 22 de noviembre de 1862.

Pero su restauración completa, bajo la dirección del arquitecto Josep Puig i Cadafalch (1867-1956), no pudo finalizarse hasta 1931. Los edificios adosados a ella son de diferentes épocas y han tenido varios usos. En 2015 se rehabilitaron para dedicarlos a un espacio de arte, que implicó, igualmente, una nueva restauración de la iglesia, con una importante intervención del artista irlandés Sean Scully.

El arboreto de Santa Cecilia

Las cuatro hectáreas que rodean el conjunto arquitectónico de Santa Cecilia eran antiguamente campos de cultivo y hacía muchos años que eran yermas,

como constatamos ya en las primeras fotografías que se conservan del monasterio. Pero después del incendio forestal que el 18 de agosto de 1986 asoló la vegetación de toda la parte norte de la montaña y los bosques de las cercanías, se inició en ese terreno desolado la plantación de un arboreto, que actualmente cuenta con unos 650 árboles y 1300 arbustos de 150 especies diferentes, como memoria de lo que nunca más tendría que volver a suceder y como afirmación de que todos debemos preocuparnos por el patrimonio ecológico que nos ha sido confiado.

El arboreto está dividido en dos zonas por un amplio camino. La zona de nuestra derecha está dedicada principalmente a reproducir los diversos tipos de encinas de clima mediterráneo, con una representación importante de árboles de hoja caduca y otros arbustos. Al final de ella hay dos miradores que nos ofrecen bellas panorámicas de los Pirineos y del Pla de Bages con la ciudad de Manresa como centro de la comarca. Abajo a la derecha vemos el monasterio de Sant Benet (1954), construido según el proyecto del arquitecto Lluís Bonet i Garí (1893-1993), donde reside una comunidad de monjas benedictinas. En la zona de nuestra izquierda, el arboreto está dedicado a mostrar básicamente varias especies de coníferas y cupresáceas con árboles y arbustos, en su mayoría autóctonos de la montaña. Si nos fijamos en el conjunto de los árboles observaremos que crecen mejor en un lado que en el otro. Se debe al viento del norte, que sopla a menudo y con fuerza y cuyo impacto queda plasmado en la vegetación. Desde la explanada que vamos recorriendo podemos ver panorámicamente las rocas y picos que hemos ido señalando a lo largo del presente itinerario.

De cara a la montaña, a la izquierda vemos los Flautats; después el Cavall Bernat, a la derecha, y el pico más elevado, Sant Jeroni (1236 m), bajo el risco del cual nos encontramos; más a la derecha se hallan las regiones de los Ecos y de los Frares Encantats, con la gran roca del Bisbe, al final del tramo visible de la montaña.

Horarios

SERVICIOS RELIGIOSOS

Días laborables

07.30   Laudes

11.00   Misa conventual

13.00   Salve y Virolai cantados por la Escolanía (excepto del 25 de junio a finales de agosto, durante las vacaciones de Navidad y de Pascua y algunos otros días)

18.15   Rosario

18.45   Vísperas, Salve y canto de la Escolanía (excepto los viernes de todo el año, del 25 de junio a finales de agosto, durante las vacaciones de Navidad y de Pascua y algunos otros días)

Sábado, domingo y días festivos

7.30	Laudes
11.00	Misa conventual (la Escolanía canta la Salve y el Virolai después de la misa, solo los domingos y días festivos. Excepto del 25 de junio a finales de agosto, durante las vacaciones de Navidad y de Pascua y algunos otros días)
13.00	Misa (solo los domingos)
18.15	Rosario
18.45	Vísperas (la Escolanía participa solo los domingos y días festivos. Excepto del 25 de junio a finales de agosto, durante las vacaciones de Navidad y de Pascua y algunos otros días)
19.30	Misa vespertina (solo los sábados y vísperas de festivos)

El horario para venerar la imagen de la Virgen es el siguiente:

De 7.00 a 10.30
De 12.00 a 18.25

De 19.30 a 20.00 por el camino del Avemaría (sábados, domingos y en verano hasta el 15 de septiembre, aprox.)

LA SANTA CUEVA

Horario de apertura:

Temporada baja: Del 2 de noviembre al 31 de marzo (aprox.)
De 10.30 a 16.00

Temporada alta: Del 1 de abril al 1 de noviembre (aprox.)
De 10.30 a 17.00

OTROS SERVICIOS

Oficina de información
Para cualquier duda recomendamos dirigirse a la oficina de información.
Horario de invierno:
De 9.00 a 17.45
Horario de verano:
De 9.00 a 20.00

Oficina de pastoral del santuario
De 9.30 a 13.00
De 16.00 a 18.00

Hotel
Abierto siempre

Museo
De 10.00 a 17.30

Espacio audiovisual
Invierno: De 9.00 a 17.30
Verano: De 9.00 a 20.00

Tiendas-Recuerdos
Invierno: De 9.00 a 17.30
Verano: de 9.00 a 20.00

Cafetería
Invierno: De 9.00 a 17.30
Verano: De 9.00 a 20.00

Self-service y restaurante de Montserrat
Invierno: El edificio de los Apóstoles está cerrado varios meses del año. Consulten los horarios en la oficina de información.
Verano: De 12.00 a 16.00

Funicular de Sant Joan
Invierno: De 10.00 a 17.00
Verano: De 10.00 a 18.00
Consulten los horarios de fin de semana, los posibles cambios de horario y los días de cierre por revisión anual en www.cremallerademontserrat.com

Funicular de la Santa Cueva

Invierno: De lunes a viernes cerrado.
Sábado, domingo y días festivos: de 10.00
a 16.30
Verano: De 10.10 a 18.00
Consulten los horarios de fin de semana,
los posibles cambios de horario y los
días de cierre por revisión anual en www.
cremallerademontserrat.com

Aéreo de Montserrat

Invierno: De 9.30 a 17.15
Verano: De 9.30 a 19.00

Cremallera

Consulten los horarios en
www.cremallerademontserrat.com

Los horarios de invierno y de fin de
semana son sensiblemente diferentes de
los de verano; por este motivo es mejor
ponerse en contacto con la oficina de
información.

Servicios e instalaciones

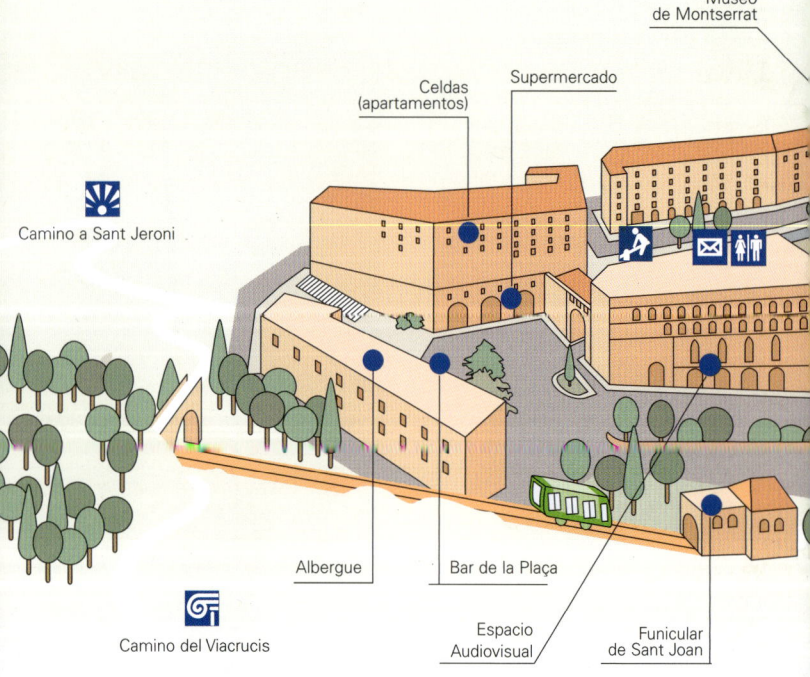

Museo
de Montserrat

Celdas
(apartamentos)

Supermercado

Camino a Sant Jeroni

Albergue

Bar de la Plaça

Camino del Viacrucis

Espacio
Audiovisual

Funicular
de Sant Joan